밀레니얼은
어떻게 배우고
일하며 성장하는가

이상준 지음

밀레니얼은 어떻게 배우고
일하며 성장하는가

초판 발행 2020년 10월 10일
초판 인쇄 2020년 10월 20일

지은이   이상준
펴낸곳   다른상상
등록번호   제399-2018-000014호
전화   031)840-5964
팩스   031)842-5964
전자우편   darunsangsang@naver.com

ISBN 979-11-967111-22-6 03320

잘못된 책은 바꿔 드립니다.
책값은 뒤표지에 있습니다.

이 도서의 국립중앙도서관 출판예정도서목록(CIP)은 서지정보유통지원시스템 홈페이
지(http://seoji.nl.go.kr)와 국가자료종합목록시스템(http://www.nl.go.kr/kolisnet)에서
이용하실 수 있습니다.(CIP제어번호: CIP2020037385)

독자 여러분의 책에 관한 아이디어나 원고 투고를 설레는 마음으로 기다리고 있습니다.
이메일로 간단한 개요와 취지, 연락처를 보내주세요. 독자님과 함께하겠습니다.

밀레니얼은 어떻게 배우고 일하며 성장하는가

MZ세대의 일과 공부, 새로운 커리어 학습법

이상준 지음

Millennial
Generation

다른
상상

한창 러닝 플랫폼을 만들고 그 활성화 방안에 대해 고민하고 있을 때, 지인의 소개로 이상준이라는 사람을 만났다. 그와 내 고민을 나누며, 나는 요즘 세대들이 잘 모인다는 강남의 모처에서 진행되는 소셜 살롱에 참여하게 되었다. 그 후 매 평일 저녁, 그곳에서 펼쳐지는 완전히 새로운 세계를 만났다. 왜 그들은 퇴근 후, 술자리도 영화관도 아닌 소셜 살롱에 모여서 처음 만나는 사람들에게 자신의 민감하고도 심각한 고민을 나누고 끝없이 이야기를 한 후 쿨하게 헤어지는 걸까? 흔하디흔한 '치맥' 뒷풀이도 없이 말이다. 그러면서 나도 모르게 점점, 그들만의 모임, 대화 그리고 그들만의 삶과 배움에 관심을 갖기 시작했다. 그냥 의미 없는 시시콜콜함이 아닌, 어딘가 살짝살짝 들어 있는 그들의 성장 열망과 배움 본능이, 술과 춤이 아닌 배움과 나눔으로 강남역 물을 흐리고(?) 있었던 것이다.

이 책에서 이상준 작가는 밀레니얼들의 삶과 성장에 대한 열망으로 나타나는 현상을 관찰하며 새로운 시대의 학습법을 소개해준다. 인류의 역사를 이야기하면서 "배움"이라는 단어를 지울 수 있을까? 배움이란, 새로운 환경에서 삶의 방법을 익히고 발전시키는 것이며 또 다른 사람들과 우열을 겨루며 그 속에서 생존 본능으로 자리 잡는 과정이었을 것이다. 이 시간, 오늘의 중심 세대인 새로운 밀레니얼들은 타인에 의한 강요나 압박이 아닌 스스로 생존을 위해 그들만의 배움의 방법을 찾아낸 것 같다. 지식의 반감기와 기술 발전의 기하급수적인 속도를 체감하며, 이상준 작가는 밀레니얼들의 생존 학습법을 그저 하나의 현상 정도로 지나치지 않고 면밀히 들여다본다. 그들의 세계에 동참하고, 같은 세대의 사람들 또는 다른 계층의 세대들에게 이 시대에 최적화된 생존 학습법을 알려준다. 읽다 보면, 저절로 '나도 그들처럼 공부하고 싶다'보다는 '그들처럼 살아가고 싶다'라는 마음이 생긴다. 이 책이 먼 훗날 밀레니얼들이 "라떼는 말이야" 하고 말하는 시절이 올 때, 여전히 회자되고 사랑받는 기록이 되기를 바라본다.

―박아람(삼성인력개발원 부장, LXP 디자이너)

5

지난 3년간 미국과 한국, 아시아에서 활동하는 약 300여 명의 혁신 가를 인터뷰해왔다. 지금 시대의 변화와 혁신을 만들어내는 이들은 스펙에 관계없이, 그때그때 필요한 것을 끊임없이 배우고 실행하며 지식을 자기 것으로 만들고 사람들과 협업하며 문제를 해결하는 데 집중하는 사람들이었다.

디지털 기술은 과거에 측정하지 못했던 단위까지 개인의 역량 과 성과를 수치화해가고 있다. 끊임없이 학습하는 인간은 구시대의 신뢰 보증 수단이었던 학력, 성별 등의 아성을 무너뜨리며 비즈니 스와 커리어에서 기회를 잡고 그들과 비슷한 사람들을 채용하며 빠 르게 영토를 넓히고 있다.

이 책은 어떤 사람에게는 변화하는 시대를 선도하는, 끊임없이 학습하는 인간이 되기 위한 '온보딩' 가이드북일 수도 있고, 어떤 분 께는 좀처럼 이해되지 않는 밀레니얼 세대들이 왜 이렇게 빠르게 치고 올라오는지 알려주는 분석 자료일 수도 있다. 실제 변화하는 배움의 트렌드와 원인, 떠오르는 학습 플랫폼과 서비스들이 잘 서술되어 있으니 현실을 이해하고 진단하는 데 크게 도움이 될 것이다.

— 김태용(기업가정신 유튜브 채널 EO 대표)

저는 인위적으로 세대를 구분해서 설명하는 방식을 그다지 선호하지 않습니다. 기본적으로는 특정한 '세대'를 이해하는 것보다는, 지금 우리가 살고 있는 '시대'를 이해하는 것이 훨씬 더 중요하다고 믿기 때문이고, 세대별로 구분해서 이야기하다 보면 서로가 가지고 있는 공통점보다는 차이점에 더 주목하기 때문입니다.

그런 의미에서 저는 이 책에서 주목하는 '성장의 욕망'이 밀레니얼 세대들이 가지는 특징이기도 하지만, 동시에 지금의 시대를 관통하고 있는 키워드라고 생각합니다. 그래서 이 책이 밀레니얼 세대를 넘어, 빠르게 변화하는 세상에 발맞춰 자신을 더 잘 업데이트해서 좀 더 주도적이고 주체적으로 삶을 살아가고 싶은 사람들을 위한 안내서라고 생각합니다. 이 점이 트렌드 중심으로 밀레니얼 세대의 특징을 나열한 다른 책과는 차이가 나는 부분이죠.

우리 모두는 갈수록 디지털화되는 세상에 살고 있습니다. 초연결성 등 디지털은 여러 특징을 가지고 있지만, 그중에 빼놓을 수 없는 특징 중 하나가 바로 '업데이트'입니다. 과거에는 훌륭한 제품을 만들어 많이, 최대한 오랫동안 팔 수 있으면 최고였지만, 디지털 시대에는 그게 제품이든, 서비스든, 심지어 콘텐츠마저도 계속해서 업데이트되어야만 지속적인 생명력을 가집니다.

우리 모두는 '업데이트'라는 화두 앞에 놓여 있습니다. 그리고 성장할 때부터 디지털과 함께 자라난 밀레니얼 세대일수록 누구보다 이 업데이트에 민감할 수밖에 없는 것이고요. 이 책은 이를 구체적인 수치와 자료로 설명할 뿐 아니라, 실제로 밀레니얼들이 어떻게 성장하고 배우며, 또 일하는지에 대해 자세히 설명하고 있습니다. 특히 해외 사례와 국내 사례를 오가면서 설명하는 부분은 박진감이 넘칩니다.

물론 이 책을 읽는다고 저절로 성장하거나 업데이트되지는 않을 겁니다. 성장이라는 게 그리 만만한 녀석은 아니니까요. 다만, 제가 느낀 것처럼 강렬한 성장의 욕구를 느끼실 수는 있을 것이고, 그렇다면 책에 소개된 다양한 서비스와 방법론은 일종의 가이드가 될 겁니다. 언젠가 누군가로부터 "성장하고자 하는 의지를 가진 사람만이 성장할 수 있다"라는 말을 들은 적이 있습니다. 부디 이 책을 통해 성장하고자 하는 의지를 다시금 품으실 수 있기를 바랍니다.

─윤성원(뉴스레터 '썸원의 SUMMARY&EDIT' 운영자)

밀레니얼 세대의 일원으로서, 나 역시 '내가 성장할 수 있는 조직에 몸담고 있는가?', '가치 있는 일을 하고 있는가?', '존경할 만한 동료들과 함께 일하고 있는가?'에 대한 답을 구해왔다. 하지만 저자가 언급한 바와 같이, '밀레니얼 세대'라는 하나의 개념 안에서 개개인의 성향을 규정하는 것은 위험하다. 끊임없이 자신의 경쟁력을 기르고 도전의 파도를 넘고 있는 '젊은 것들'이 많아진 것은 사실이지만, 굳건한 소속감과 안정감에 만족하는 사람들도 적지 않다.

그럼에도 불구하고 기술의 발전과 급격한 사회경제적 변화가 세대를 막론하고 수많은 사람들을 벼랑 끝으로 몰고 가고 있다는 점은 분명해 보인다. 이러한 흐름을 예민하게 인지하고 벼랑 끝에서 날아오를 수 있는 날개를 갖추는 사람들은 생존하고, 그렇지 못한 이들은 도태될 수 있다. 안타깝게도 과거의 방식은 더 이상 미래를 위한 날개가 되어줄 수 없다. 생존을 위해 필요한 지식과 기술이 빠르게 변화하는 만큼, 이를 배우는 방법 역시 이전과는 달라야 한다.

때마침 교육과 기술의 결합, 즉 에듀테크는 많은 사람들이 이 날개를 가질 수 있는 토양을 만들어가고 있다. 그러나 기술에만 집중하고 이에 경탄하는 것은 문제의 본질을 흐린다. 그보다는 우리가 왜 성장하고 싶은지, 어떻게 성장할 수 있는지를 명확하게 이해하는 것이 먼저이고, 문제를 해결하기 위해, 사람들이 원하는 것을 충족시키기 위해 기술을 활용하는 것이 그다음이다.

이 책은 이러한 문제의식을 지닌 저자의 생각을 정제한 결과물이다. '일잘러'를 꿈꾸는 요즘 직장인들, 그리고 일잘러를 길러내야 하는 기업 교육 담당자들은 이 책을 통해 왜 '성장'이 오늘날의 키워드가 되었는지, 배움의 미래는 어떠한지, 공급자가 아닌 소비자에 집중하는 서비스들은 무엇이 다른지 이해할 수 있을 것이다. 더나아가 나름의 시사점을 토대로 실행과 시행착오를 거듭한다면, 이책은 벼랑 끝에 서 있는 우리들에게 '날개'가 되어줄 것이라 믿는다. 저자가 여러 차례 강조한 것처럼, 직접 해보는 것만큼 깊은 배움은 없으니까.

—김지연(하버드 교육대학원 기술혁신교육 과정 석사)

밀레니얼은 당신이 생각하는
그런 세대가 아니다

많은 사람들이 '밀레니얼 세대'라고 불리는 '요즘 것들'을 자기중심적이고 게으른 세대라고 여긴다. 이런 목소리에 따르면, 요즘 젊은이들은 이상을 좇아 자주 일터를 옮기고 의지가 약하고 참을성이 없다. 미래가 아닌 현재의 만족과 행복을 추구하고, 이룬 것 없이도 인정받기를 원한다. 사람들과의 교류를 꺼리는 것은 물론이요, 설익고 안이한 태도로 일하는 것은 덤이다.

어떤 이들에게는 밀레니얼 세대가 어디선가 뚝 떨어진 별종처럼 느껴질 수 있다. 이 '도무지 이해하기 어려운 젊은이들'이 점점 늘어난다. 여기저기에서 이 별종의 특징을 분석하기 위해 분주하다. 이 과정에서 쏟아지는 이야깃거리들, 즉 이들이 기성세대와 얼마나 다른지, 이 '요즘 것들'과 어떻게 함께 일해야 하는지에 대한 담론은 흥미진진하다.

그렇지만 이 책에서 조명하고 싶은 지점은 조금 다르다. 내가 알고, 마주하고, 경험한 밀레니얼은 세간의 시선과 달랐다. 나부터가 그렇다. 나는 85년생, 8년차 직장인인 밀레니얼 세대이다. 대학을 졸업한 이후, 나의 소망은 언제나 '일잘러', 그러니까 일을 잘하는 사람이 되는 것이었다. 첫 직장에 입사한 때부터 시나브로 흘러간 8년, 짧다면 짧고 길다면 긴 시간 동안 일로 그득한 나날을 보낸 것도 그 때문이었다.

나뿐만이 아니다. 요즘 직장인들은 참 열심히 산다. 미래와 삶에 대해 치열하게 고민하고, 자신만의 경쟁력을 확보하기 위해 무던히 애쓴다. 출근길이든 퇴근길이든 어학 공부를 하거나 팟캐스트·오디오북을 듣는다. 승진도 좋지만 그보다 일터에서 의미 있는 경험을 얻기를 바란다. 동료들과 생각을 부대끼며 더 나은 해답을 찾기를 원하고, 그 누구보다 일을 잘하고 싶어 한다. 켜켜이 쌓아 올린 이 시간들이 회사라는 울타리 밖에서도 자기답게 살아갈 수 있는 자양분이 된다는 것을 잘 알고 있기 때문이다.

밀레니얼 세대를 관통하는 키워드는 단연 '성장'이다. 이들은 오늘날 각광 받던 지식이 하루아침에 찬밥 신세가 되고, 어제 유용했던 능력도 모레쯤에는 아무 쓸모 없어지는 시대를 살아간다. 이 새로운 세대가 배움에 대한 초조함을 느끼고, 끊임없이 지식을 섭식하며, '진짜' 일잘러로 성장하기를 갈망하는 이유가 바로 여기에 있다.

그들이 게을러서 회사 일에 올인하지 않는 게 아니며, 참을성이 없어서 일터를 자주 옮기는 것도 아니다. 그렇다. 많은 이들이 밀레니얼 세대에 대해 오해하고 있다. 그들은 당신 생각보다 훨씬 열정적이고 끊임없이 배움을 갈망하며 능력 있는 일잘러가 되기를 꿈꾼다. 그런 그들이 왜 일터를 자주 옮기는 것일까? 이에 대한 답은 아래의 질문들과 연결되어 있다.

회사에 충성하지 않는 밀레니얼 세대는 어떻게, 왜 일잘러를 꿈꾸는가? 그렇다면 이들이 맹렬하게 배우는 이유는 무엇인가? 이들은 어디에서 어떻게 배울까?

이 책은 이런 질문들에 대한 나름의 답을 엮어낸 결과물이다. 이 '나름의 답'을 크게 네 가지로 분류했다.

1장에서는 밀레니얼 세대가 왜 성장을 욕망하는지를 살핀다. 노동시장의 주역으로 떠오른 밀레니얼 세대는 '평생직장'이라는 환상을 버린 지 오래다. 이들은 대체 불가한 인재로 거듭나기를 원하고, 자신의 바람을 쟁취하기 위해 부지런히 배운다. 그래서 밀레니얼 세대가 일터에서 바라는 것, 그리고 커리어에 대한 이들의 태도는 이전 세대와는 꽤 다르다. 가장 인상적인 변화는 이 새로운 세대가 과거와는 다른 채널에서, 이전과는 다른 방식으로 지식과 배움을 탐닉한다는 점이다.

2장에서는 밀레니얼 세대가 무엇을, 어떻게, 왜 배우고자 하는지를 다룬다. 이들이 직장인이 된 이후에도 배움을 좇는 이유는 스펙이 아닌 스킬의 시대가 도래했기 때문이다. 변덕스러운 세상은 노동시장의 주역들에게 시도 때도 없이 새로운 역량을 요구한다. 이러한 시대에 살아남기 위해서는 꾸준하게 배워야 하지만, 밀레니얼 세대는 단편적인 지식과 정보를 넘어 '풍부한 경험'과 '진짜배기 실력'을 원한다. 그리고 교육과 기술의 결합, 즉 '에듀테크'는 기술의 힘을 빌려 새로운 세대의 욕망을 채우고 배움의 습관을 뒤바꾸고 있다.

3장에서는 배움의 습관을 바꾸는 다섯 가지 트렌드에 대해 짚어본다. 모바일 시대를 살아가는 밀레니얼 세대는 언제 어디서든 접근할 수 있으면서도 짬짬이 학습하기를 바란다. 또한 정기적으로 일정 금액의 돈을 지불하고 지식과 배움을 구독하는 데 익숙하고, 온라인과 오프라인에서 대화를 주고받으며 함께 배우는 공간을 찾기도 한다. 그뿐 아니라 온라인으로 세계 최고의 대학이나 기업에서 제공하는 강의를 들으며, 마치 모든 금융 정보를 한곳에서 조회할 수 있는 오픈뱅킹처럼 다양한 지점에 이루어지는 배움을 하나의 플랫폼에서 관리하기도 한다.

4장에서는 적극적인 학습자인 밀레니얼 세대에게 유용한 서비스들을 소개한다. 배우는 목적을 다섯 가지로 분류하고, 그 취지에 맞는 서비스들을 쉽게 골라낼 수 있도록 정리했다. 또한 각 서비스가 학습자에게 어떤 가치를 제공하는지 파악할 수 있도록 간략한 설명을 덧붙였다.

길게 풀어냈지만, 이 책을 통해 전달하고 싶은 결론은 꽤 간단하다. 일잘러를 꿈꾸는 밀레니얼 세대는 정말 열심히 배운다. 그것도 새로운 방식으로. 이 모든 것은 남다른 삶과 커리어를 가꾸기를 바라는 밀레니얼 세대의 몸부림이다.

이들에게 있어 로망이란 자신의 손때가 묻은 일에서 자신만의 색이 배어 나오는 것이 아닐까. 불행인지 다행인지 로망을 실현한다는 건 그리 쉬운 일이 아니고, 거저 얻을 수 있는 결과도 아니다. '요즘 것들'이 안정과 익숙함에 안주하는 대신 배움을 찾아 헤매는 것은 바로 이 사실을 그 누구보다 잘 알고 있기 때문이라고 믿는다.

모쪼록 이 책이 나의 또래, 그리고 우리와 함께 일하는 모든 사람들에게 도움이 되기를 바란다. 더 나아가 지금보다 더 많은 일잘러들이 탄생하는 데, 더욱 풍성하고 비옥한 배움터를 조성하는 데 도움이 되었으면 한다.

1 성장을 욕망하는 세대가 온다

2 밀레니얼은 맹렬하게 배운다
배움의 진화를 이끄는 세 가지 키워드

3 밀레니얼은 이렇게 배운다
배움의 습관을 바꾸는 다섯 가지 트렌드

4 끊임없이 성장하고픈 밀레니얼을 위한 가이드

제1장

성장을 욕망하는 세대가 온다

01

이미 도래한
밀레니얼 모멘트

한때 '밀레니얼 세대Millennial Generation'는 그저 '기성세대와는 좀 다른 젊은 세대'를 지칭하는 용어였다. 이 개념은 세대 이론을 주창한 미국의 윌리엄 스트라우스William Strauss와 닐 하우Neil Howe가 1991년에 처음 제시했고, 오늘날 많은 이들의 입에 오르내리고 있다. 하루가 멀다 하고 밀레니얼을 다룬 기사와 리포트, 책이 쏟아져 나온다. 이들의 특성을 이해하기 위한, 이들의 마음을 얻기 위한, 이들과 함께 일하기 위한 분석이 지면과 각종 콘텐츠를 뒤덮고 있다. 밀레니얼이 이렇게 각광을 받는 이유는 이 '젊은 세대'가 어느덧 우리 사회의 주축으로 자리 잡았기 때문이다.

2018년 6월, 글로벌 경제지《파이낸셜타임즈Financial Times》는 베이비부머Baby Boomer, 그리고 X세대Generation X를 이은 새로운 세대가 사회적·경제적으로 지배적인 영향력을 발휘하기 시작한 순간을 '밀레니얼 모멘트Millennial Moment'로 규정했다. 이에 따르면 밀레니얼 세대는 전 세계 인구의 4분의 1 수준인 18억 명에 달하며, 2020년을 기점으로 경제활동은 물론 사회 전반에서 X세대를 넘어서 '가장 큰 손'으로 군림할 것이다.

● **전 세계 세대별 인구 비중**

○ 밀레니얼 세대가 X세대를 추월하고 가장 비중이 높은 세대로 자리매김
□ 밀레니얼 세대가 베이비부머 추월

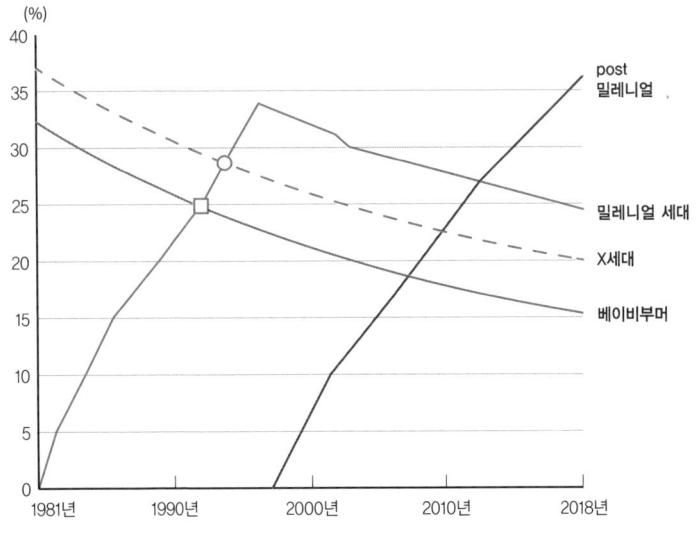

출처 :《파이낸셜타임즈》

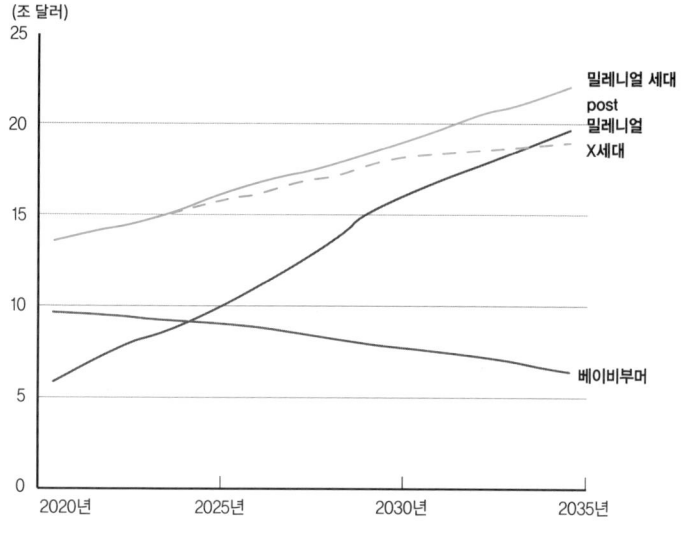

● 전 세계 세대별 소비력 전망

(조 달러)

밀레니얼 세대
post
밀레니얼
X세대

베이비부머

2020년　　　2025년　　　2030년　　　2035년

출처:《파이낸셜타임즈》

젊은 유망주에서 시대의 주역으로 떠오른 이 '요즘 것들'에 대한 관심은 매우 뜨겁다. 이들은 X세대의 뒤를 이었다는 의미에서 Y세대 Generation Y라고 불리기도 하며, 디지털 환경에서 나고 자란 디지털 네이티브Digital Native, 인터넷에 익숙한 넷 세대Net Generation, 자기 자신을 최우선으로 놓는다는 의미의 나나나 세대Me Me Me Generation 등 여러 이름을 얻었다. 각종 미디어가 이런 호칭을 거론하며 이들을 정의하고, 분석하고, 이해하기 위해 애쓰고 있는 것이다. 한 가지 분명한 사실은, 세계적인 경영컨설턴트이자《패러다임 시프트》,《위키노믹스》,《디지털 네이티브》,《블록체인 혁명》등을 저술한 돈 탭스콧_{Don Tapscott}이 언급한 바와 같이, 이들은 '새로운 천 년을 이끌어갈 세대'라는 점이다. 바야흐로 '밀레니얼 모멘트'가 도래한 것이다.

밀레니얼은 누구인가?

그렇다면 밀레니얼 세대는 대체 어떤 사람들일까? 이 질문에 대한 답을 구하기 위해서는 '밀레니얼 세대가 다른 세대와 어떻게 다른가'를 살펴 봐야 한다. 사실 한 세대를 규정하는 것은 쉬운 일이 아니다. 집단은 개인의 합이고, 특정 집단에 속한 개인이 모두 동일한 성향을 가지고 있다는 논리는 다소 위험하다. 사실 '세대'는 출생 연도 혹은 나이라는 일률적인 기준으로 사람들을 분류해놓은 개념일 뿐이다.

그럼에도 불구하고 특정 세대에 초점을 두고 접근하는 이유는 밀레니얼 모멘트의 주역들에 대해 '보다 깊이' 논의하기 위해서다. 논의에 앞서 세대를 구분하는 수많은 기준 중에서도 글로벌 금융투자그룹 바클리_{Barclays}와 HR컨설팅회사인 NGA휴먼리소스_{NGA Human Resources}의 자료를 기반으로 세대별 특징을 정리했다. 그 결과물이 바로 다음 표이다.

이에 따르면 베이비부머, X세대, 밀레니얼 세대, 그리고 Z세대는 다음과 같은 성격을 지닌다.

● 세대 구분과 세대별 특징

항목	베이비부머 (Baby Boomers)	X세대 (Generation X)	밀레니얼 세대 (Millennials/Generation Y)	Z세대 (Generation Z)
출생 연도	1945 ~ 1960	1961 ~ 1980	1981 ~ 1995	1995 ~
시대적 배경	냉전, 달 착륙, 우드스톡페스티벌, 가족중심	냉전 종결과 베를린 장벽 붕괴, 개인용 컴퓨터(PC) 보급, 초기 모바일 기술 등장, 이혼 증가	9/11 테러, 이라크 전쟁, 소셜미디어, 구글 어스 (Google Earth)	경기 침체, 지구온난화, 스마트폰, 1인 미디어
전 세계 인구에서 차지하는 비율 (20~65세 기준)	16.9%	33.8%	41.4%	7.9%
전 세계 노동시장(2020년) 에서 차지하는 비율 (20~65세 기준)	13.3%	37%	43.3%	6.4%
중요하게 생각하는 가치	직업 안정성 (Job Security)	일과 삶의 균형 (Work & Life Balance)	자유로움과 유연성 (Freedom and Flexibility)	안전과 안정 (Security and Stability)
직업에 대한 태도	조직 중심 (Organizational): 고용주가 일을 규정	포트폴리오 커리어 (Portfolio Careers): 고용주가 아닌 업(業) 그 자체에 충실	디지털 기업가 (Digital Entrepreneurs): 조직과 함께 일하지만, 조직을 위해 일하지 않음	커리어 멀티태스커 (Career Multitaskers): 조직과 새롭게 떠오르 는 비즈니스 사이를 거리낌 없이 이동
기술에 대한 태도	초기 정보기술(IT) 수용자	디지털 이주민 (Digital Immigrants)	디지털 원주민 (Digital Natives)	기술중독자 (Technoholics): IT 의존성이 매우 큼
상징적인 기술 제품	TV	개인용 컴퓨터(PC)	스마트폰	웨어러블 디바이스 & 3D 프린터 & VR/AR기기
커뮤니케이션 매체	전화기	이메일(e-Mail) & 문자 메세지	문자 메시지 & SNS	웨어러블 커뮤니케이 션 디바이스

출처: 바클리 & NGA휴먼리소스 자료를 재구성

1) 베이비부머(1945~1960년 출생)

베이비부머는 냉전과 인류 최초의 달 착륙을 경험한 세대이다. 또한 TV의 발명과 같은 기술 혁신의 시작점에서 태어난 사람들이기도 하다. 이들은 조직 중심적이고 수직적인 직장에서 성장했으며, 직업 안정성을 매우 중요하게 생각한다. 베이비부머는 현 시점에는 의사결정권을 쥐고 있지만, 2020년 이후에 전체 노동시장에서 차지하는 비율은 한 자릿수로 떨어질 것이다. 다시 말해 이 세대는 지금까지의 고도 성장을 이끈 주역이지만, 이제 X세대와 밀레니얼 세대에게 무대를 물려주고 있다.

2) X세대(1961~1980년 출생)

X세대는 개인용 컴퓨터, 즉 PC를 경험한 첫 세대이자 핸드폰을 사용하기 시작한 세대이다. 그래서 기술에 기반한 즉각적인 커뮤니케이션, 즉 이메일이나 문자메시지를 낯설어하지 않는다. 나날이 발전하는 디지털 환경에 적응하고자 하는 '디지털 이주민'에 해당한다. 이들은 밀레니얼 세대보다는 조직에 소속감을 가지지만, 조직에 맹목적으로 충성하기보다 '경력 개발'에 더 많은 관심을 보인다. 근래 들어 '일과 삶의 균형'이라는 키워드가 밀레니얼 세대의 전유물처럼 거론되지만, 생활의 무게 중심이 조직에서 개인의 삶으로 옮겨가기 시작한 것은 X세대부터다.

3) 밀레니얼 세대((1981~1995년 출생)

'Y세대'라고도 불리는 밀레니얼 세대는 거의 모든 가정이 컴퓨터를 보유하고, 인터넷에 연결된 환경에서 성장했다. 흔히 '디지털 원주민'이라고 불리는 이들은 디지털 기술에 매우 익숙하고 이에 기초한 커뮤니케이션, 즉 스마트폰이나 SNS를 통한 소통을 선호한다.

밀레니얼 세대의 두드러진 특징 중 하나는 '더 강하게' 일과 삶의 균형을 추구한다는 것, 그리고 개인의 삶은 물론 커리어에서도 큰 성취를 원한다는 것이다. 이 새로운 세대는 직장을 자신의 성장을 위한 터전으로 여기며, 직업이나 직장을 선택할 때 자유로움과 유연성을 중요한 판단 기준으로 삼는다. 밀레니얼 세대의 이직률이나 퇴사율이 이전 세대보다 현저히 높다는 점과 완전히 새로운 직업으로 이동하는 커리어 전환career transition이 점차 늘어나는 현상은 이런 특징과 밀접한 관련이 있다.

4) Z세대(1995년 이후 출생)

Z세대는 무한히 확장하는 디지털 환경에서 자란 세대이자 기술이 세상을 재구성하기 이전의 삶을 경험하지 못한 세대이다. 이들은 태어날 때부터 스마트폰을 접했으며, 삶의 모든 지점이 디지털 기술과 긴밀히 연결되어 있다. 이 어린 세대는 이전 세대보다 더 많은 시간을 SNS에 할애하고 있으며, 밀레니얼 세대보다도 디지털 기술에 정통하다. 이들은 잘 갖춰진 통신기술 덕분에 유튜브Youtube 와 넷플릭스Netflix로 대변

되는 실시간 영상 스트리밍에 익숙하고, 즉각적인 정보 습득에 매우 민감하다.

Z세대의 대다수는 아직 노동시장에 진입하지 않았지만, 커리어에 대한 밀레니얼 세대의 관점과 성향이 더욱 강화될 것으로 보인다. 즉 자신의 목표를 위해서라면 변화를 시도하고, 동시에 여러 직업을 갖는 것도 적극적으로 고려할 것이다.

밀레니얼 모멘트를 선언한 이유

밀레니얼 세대가 다른 세대와 어떻게 다른지에 대한 담론은 흥미롭다. 하지만 프롤로그에서 강조한 바와 같이, 이 책에서 조명하려는 것은 '밀레니얼 세대는 왜 성장과 배움을 갈구하는지', 그리고 '어떻게 배우는지'이다. 이를 위해 가장 먼저 살펴보아야 할 지점은 일과 직업에 대한 이들의 인식이다. 밀레니얼 세대가 제반 산업과 직장에 자리 잡기 시작한 오늘날, 이러한 접근은 큰 의미가 있다.

"밀레니얼 모멘트가 도래했다"라고 선언할 수 있는 이유는 단지 밀레니얼 세대가 주요 소비층으로 떠올랐기 때문만은 아니다. 이 젊은 세대를 시대의 주역이라고 칭할 수 있는 더 중요한 이유는 이들이 노동시장을 잠식해가고 있다는 것이다. 즉 '요즘 것들'이 기업과 여러 일터의 주류가 되는 것은 시간 문제이다.

NGA휴먼리소스의 연구에 따르면, 2020년을 기준으로 밀레니얼 세대는 전 세계의 노동력의 43.3%를 차지한다. 2020년에 50%, 2025년에는 75%에 달할 것이라는 여타의 전망이나 이미 조직 구성원의 3분의 2가 밀레니얼 세대라는 또 다른 분석들에 미치지 못하는 수치다. 그러나 '요즘 것들'의 범주를 '밀레니얼 세대와 Z세대의 합'으로 본다면, 전 세계 노동시장에서 이들이 차지하는 비율은 2020년에는 49.7%이며, 2025년에는 63.8%, 2030년에는 74.7%까지 치솟을 것이다.

한국의 경우도 크게 다르지 않다. 통계청에 따르면, 2019년 9월을 기준으로 한국의 밀레니얼 세대, 즉 20~30대 직장인 수는 약 979만 명이다. 총 경제활동인구가 약 2,829만 명임을 고려했을 때 약 35%에

● **전 세계 노동시장에서 각 세대가 차지하는 비율**(20~65세)

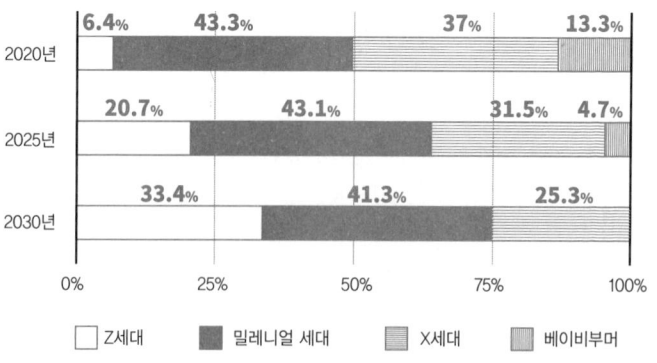

출처: NGA휴먼리소스

달하는 수치이며, 해가 갈수록 그 비율이 높아질 것임은 자명하다. 즉 조사기관에 따라, 연령 기준에 따라, 국가에 따라 수치는 다를지언정, 이 젊은 세대가 노동시장에서 다수가 되어가고 있다는 점, 그리고 당분간 큰 힘을 가질 것이라는 점은 분명하다.

02

평생직장의 종말과 일잘러를 꿈꾸는
밀레니얼 세대

밀레니얼 모멘트를 우려하는 일각의 시선도 있다. 밀레니얼 세대가 새로운 성장 동력을 가져다줄 '젊은 피'라는 사실은 부정할 수 없지만, 미래를 맡기기에는 이전 세대에 비해 게으르고 이기적이라는 것이다. 이러한 평가를 한국 특유의 '꼰대 문화'로 치부하지는 말자. 2017년 글로벌 시장조사기관인 입소스모리Ipsos MORI의 조사 결과를 보면 밀레니얼 세대에 대한 전 세계의 인식은 한국과 별반 다르지 않은 것을 알 수 있다.

이러한 표현은 "밀레니얼 직장인들은 불성실한데다 버릇이 없고 바라는 것만 많다"라는 시선이 적지 않음을 보여준다. 즉 이 '자기중심적

● 베이비부머와 밀레니얼 세대를 설명하는 다섯 가지 표현

밀레니얼 세대는…	베이비부머는…
54% 기술에 정통하다	47% 공손하다
45% 물질주의적이다	41% 업무 중심적이다
39% 이기적이다	32% 공동체 지향적이다
34% 게으르다	31% 교육을 잘 받았다
33% 건방지다	30% 도덕적이다

출처: 입소스모리

인 나르시시스트들'은 일보다 개인적인 삶을 더 소중히 여기기 때문에 직장에 대한 충성심이 약하며, 업무 체계나 조직 문화를 무시한 채 자신이 하고 싶은 말은 무엇이든 하고, 반복적이거나 '하찮은' 일을 원하지 않기 때문에 그런 상황에 맞닥뜨리면 쉽게 좌절한다는 것이다. 더 나아가 밀레니얼 세대는 지나치게 개인주의적이기 때문에 조직 생활에 적합하지 않고, '멋진 일'을 하고 싶어 하지만 의지박약한 이상주의자에 불과하다고 혹평하기도 한다.

오래 일하고 싶어서 자주 퇴사한다

세간의 선입견에 반해 밀레니얼 세대는 훨씬 더 오랜 기간 동안 자신의 커리어를 이어가기를 원하고, 일을 잘하고 싶어 한다. 그리고 자신의 실

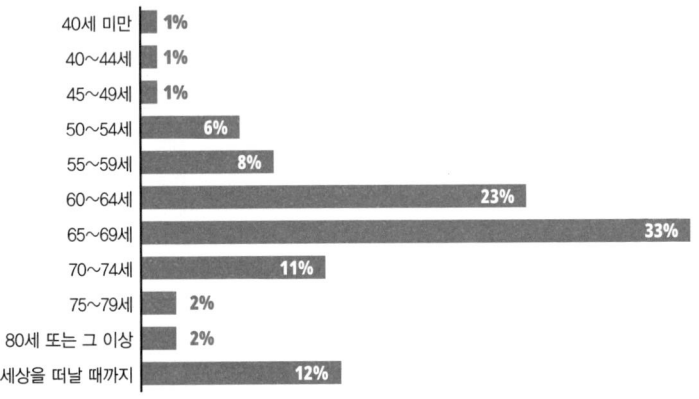

● 밀레니얼 세대가 기대하는 은퇴 시기

구분	비율
40세 미만	1%
40~44세	1%
45~49세	1%
50~54세	6%
55~59세	8%
60~64세	23%
65~69세	33%
70~74세	11%
75~79세	2%
80세 또는 그 이상	2%
세상을 떠날 때까지	12%

출처: 맨파워그룹

력을 갈고 닦기 위해 끊임없이 노력한다.

글로벌 HR솔루션회사인 맨파워그룹 Manpower Group 이 25개국, 19,000여 명의 밀레니얼 직장인을 대상으로 실시한 조사 결과에 따르면, 이들은 자신들이 이전 세대보다 더 오랫동안 일할 것임을 잘 알고 있다. 응답자의 27%는 70세 이후에도 일할 것이라고 답했고, 죽을 때까지 일할 것이라고 답한 이들도 12%에 달했다.

이렇게 긴 시간 동안 커리어를 이어갈 것이라고 응답했음에도 불구하고 응답자의 3분의 2가 승진이나 원하는 역할을 맡기 위해 기다릴 수 있는 시간을 2년 미만이라고 답했으며, 2분의 1은 12개월 미만이라고 답했다. 더불어 한 직장에 계속 다니기 위해서 필요한 것으로는 첫

째로 임금 인상, 그다음으로 새로운 도전이나 승진을 꼽았다. 이는 곧 자신이 원하는 바를 얻을 수 없다면 밀레니얼 세대는 얼마든지 조직을 떠날 수 있다는 의미이다.

실제로 '요즘 것들'은 직장을 쉽게 그만둔다. 글로벌 컨설팅회사인 딜로이트_{Deloitte}가 발표한 2019년 리포트에 따르면, 42개국, 13,416명의 밀레니얼 직장인 중 49%가 2년 안에 현재 직장을 그만둘 것이라고 응답했다. 이 수치는 2017년 리포트의 동일한 설문 결과인 38%에서 더욱 상승한 것이다. 한국 역시 2년 내에 현 직장을 떠날 것이라고 답한 밀레니얼 직장인이 2018년 42%에서 52%로 늘어났으며, 5년 뒤에도 잔류할 것이라고 답한 이들은 32%에 불과했다.

이 조사 결과를 '밀레니얼 세대는 역시 끈기가 없고 의지가 약하다'라고 해석하면 곤란하다. 이들은 결코 일에 대한 욕심이 없다거나 이상주의자이기 때문에 조직을 이탈하는 것이 아니다. 다른 어떤 세대보다 오랫동안 커리어를 가꾸어가야 한다고 여기는 사람들이 그런 이유로 커리어에서 중요한 선택을 할 리가 없다. 밀레니얼 세대는 현재 몸담고 있는 조직에서 자신이 성장할 수 없어서, 원하는 만큼 배우지 못하고 역량을 키울 수 있다는 확신을 가질 수 없어서 새로운 기회를 찾아 나서는 것이다.

밀레니얼 직장인들이 이런 선택을 하는 이유는 경쟁력을 갈고 닦아서 대체 불가능한 인재가 됨으로써 성공적인 커리어와 경제적 안정을 이루려고 하기 때문이다. 고성장으로 경제 호황을 누리던 과거에는 열

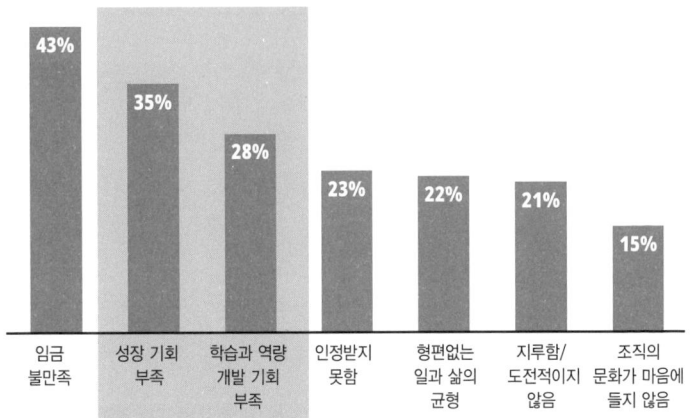

● 밀레니얼 세대가 현 직장을 2년 안에 그만두려는 이유

43%	35%	28%	23%	22%	21%	15%
임금 불만족	성장 기회 부족	학습과 역량 개발 기회 부족	인정받지 못함	형편없는 일과 삶의 균형	지루함/ 도전적이지 않음	조직의 문화가 마음에 들지 않음

출처: 딜로이트

심히 일하고 조직에 헌신하면 고용 안정을 보장받을 수 있었다. 그러나 성장 곡선이 꺾이고 저성장기에 접어들면서 기업들은 보다 효율적인 인력 구조를 만들기 위해 노력했다. 특히 1997년에 닥친 외환 위기로 한국은 수많은 기업이 쓰러지는 대재앙을 겪었다. 국제통화기금IMF의 구제금융을 받고 경제 시스템을 재편하는 과정에서 극심한 구조 조정이 한국 사회를 강타했다. 기업들은 대규모 인력 감축을 할 수밖에 없었고 수많은 사람들이 한순간에 일자리를 잃었다. 이 시대를 살아낸 사람들의 자식들이 바로 밀레니얼 세대이다.

이와 같은 사회 변화를 지켜봤기에 밀레니얼 세대는 다른 어떤 세대보다 '생존'이 절실하다. 경제 성장이 더딘 시기에 극심한 취업난을

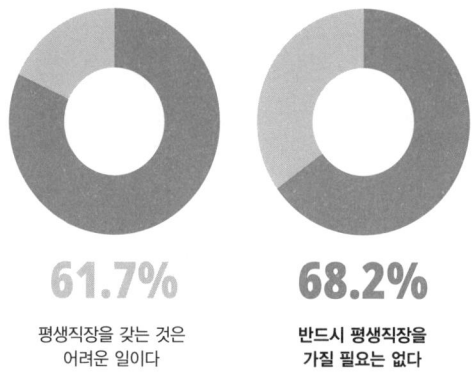

● 평생직장에 대한 인식

61.7%
평생직장을 갖는 것은
어려운 일이다

68.2%
반드시 평생직장을
가질 필요는 없다

출처: 엠브레인 트렌드모니터

뚫고 직장을 얻었지만, 회사가 나의 미래를 책임지지 않는다는 것을 너무나도 잘 알고 있다. 나만의 경쟁력을 갖추어야 조직의 필요에 의해 대체되지 않는다는 것을 이해하고 있으며, '평생직장'이나 '정년퇴직'이라는 환상은 갖지 않는다.

한국의 시장조사기업인 엠브레인Embrain이 실시한 설문 조사에 따르면, 직장인 응답자의 68.2%는 "반드시 평생직장을 가질 필요는 없다"라고 답했다. "평생직장을 갖는 것이 어렵다"라고 응답한 비율은 2018년 54.5%에서 2019년 61.7%로 늘어났으며, 그 이유로는 고용 불안감을 1위로 꼽았다. 대다수의 직장인들이 경력은 언제든 변할 수 있다고 여겼고, 스스로 '진짜 원하는 직업이 무엇인지' 고민하고 있다는 응답이

● 평생직장이 존재하기 어렵다고 생각하는 이유

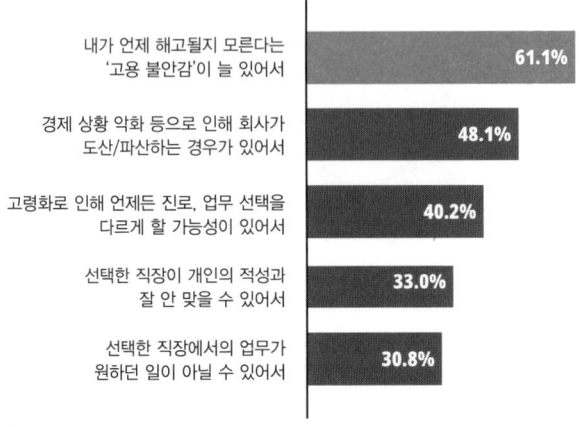

내가 언제 해고될지 모른다는
'고용 불안감'이 늘 있어서 **61.1%**

경제 상황 악화 등으로 인해 회사가
도산/파산하는 경우가 있어서 **48.1%**

고령화로 인해 언제든 진로, 업무 선택을
다르게 할 가능성이 있어서 **40.2%**

선택한 직장이 개인의 적성과
잘 안 맞을 수 있어서 **33.0%**

선택한 직장에서의 업무가
원하던 일이 아닐 수 있어서 **30.8%**

출처: 엠브레인 트렌드모니터

● 직업관 및 직장 생활에 관한 전반적인 인식 평가

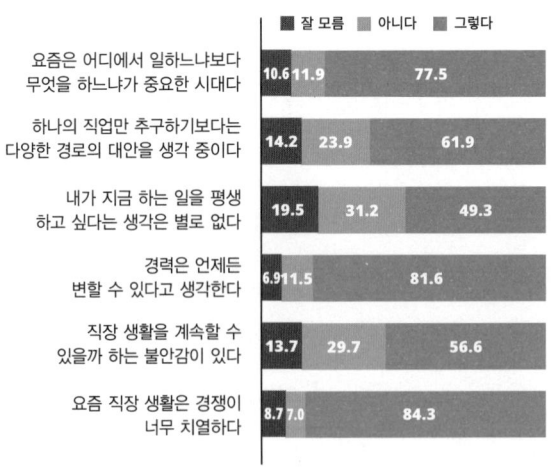

■ 잘 모름   ■ 아니다   ■ 그렇다

요즘은 어디에서 일하느냐보다
무엇을 하느냐가 중요한 시대다 **10.6 11.9 77.5**

하나의 직업만 추구하기보다는
다양한 경로의 대안을 생각 중이다 **14.2 23.9 61.9**

내가 지금 하는 일을 평생
하고 싶다는 생각은 별로 없다 **19.5 31.2 49.3**

경력은 언제든
변할 수 있다고 생각한다 **6.9 11.5 81.6**

직장 생활을 계속할 수
있을까 하는 불안감이 있다 **13.7 29.7 56.6**

요즘 직장 생활은 경쟁이
너무 치열하다 **8.7 7.0 84.3**

출처: 엠브레인 트렌드모니터

40

다수를 차지했다. 이러한 결과는 곧 요즘 직장인들이 '평생직장'은 물론 '평생직업'에도 큰 의미를 부여하지 않으며, 커리어 전환이나 확장에 거부감이 없다는 것을 의미한다.

대체 불가능한 '일잘러'를 꿈꾼다

직장과 직업에 대한 인식 변화에서 눈에 띄는 점은 밀레니얼 세대가 아주 적극적이고 자기 주도적으로 경력을 개척하는 '프로티언 커리어protean career'를 추구한다는 것이다. 보스턴대학Boston University의 조직행동 학자인 더글라스 홀Douglas T. Hall은 마음먹은 대로 자신의 모습을 바꿀 수 있었다는 그리스의 신 프로테우스Proteus의 이름을 빌려서 이 용어를 만들었다. 이 용어는 자신에게 최적화된 경력이 무엇인지 부지런히 탐색하며, 필요에 따라 자신의 경력에 도움이 되는 방향으로 변화를 시도하는 밀레니얼 세대를 잘 나타내준다.

과거에는 한 분야, 한 직장에 꾸준히 몸담으면서 승진하고 연봉을 올리는 것이 경력 개발의 핵심이었다. 이러한 방식이 수직적vertical 경력 개발이다. 수직적 경력 개발의 무게 중심은 단연 기업에 있으며, 많은 정보를 확보하는 것이 경쟁력 향상에 도움이 되었다. 그래서 많은 직장인들이 기업에서 제공하는 형식 교육formal training 프로그램에 참여하거나, 대학원에서 학위를 취득하는 방식으로 자신의 시장 가치를 높이고

● 전통적인 커리어 vs. 프로티언 커리어

분류	전통적인 커리어	프로티언 커리어
커리어 목표	승진과 임금 인상	심리적 성공 (Psychological Success)
이동성	수직적(Vertical)	수평적(Lateral)
경력 관리의 책임 주체	기업	직원
전문성	아는 것 (Know how)	배우는 것 (Learn how)
역량 개발의 수단	형식 교육 (Formal Training)	다른 이들과의 교류와 직무 경험 (Relationships and job experiences)

출처: 맥그로힐에듀케이션(McGraw-Hill Education)

경력을 관리했다.

반면에 오늘날의 밀레니얼 직장인은 근속 연수나 연봉 수준으로 경력을 평가받기보다는 진짜배기 실력을 키워서 대체 불가한 인재로 성장하기를 원한다. 이들은 한 직장, 동일한 산업군에 머무는 것이 경력 계발의 왕도라고 여기지 않는다. 그보다는 성장의 기회를 찾아 이직이나 전직을 시도하는 수평적Lateral 경력 계발을 추구하며, 타인과의 관계나 일을 통한 경험으로 역량을 갈고 닦고 싶어 한다.

밀레니얼 직장인들은 엄청난 속도의 기술 발달과 그로 인한 혜택을 몸소 체험한 세대이다. 자신들의 노력만으로도 필요한 정보에 쉽게 접근할 수 있기 때문에 '정보를 많이 가지고 있는 것'은 차별화된 경쟁력이 될 수 없다. 그보다는 아는 것을 어떻게 활용하여 좋은 결과물을 산출할 수 있는지에 지대한 관심을 가지고 있다.

이와 같은 밀레니얼 직장인의 특성은 'N잡러'의 출현으로 이어졌다. N잡러란 복수를 뜻하는 'N', 직업을 뜻하는 '잡job', 사람을 뜻하는 '~러er'가 합쳐진 용어로, 여러 개의 직업을 가진 사람을 일컫는다. N잡러는 직장이나 본업에 얽매이지 않고 부업을 가지려고 하며, 꼭 생계를 위해서가 아니라 취미와 자아실현을 위해 다양한 분야에서 다채로운 경험을 얻고자 한다.

이러한 경향은 기업에서 필요에 따라 임시로 사람을 고용하는 긱경제gig economy의 확산과 함께 더욱 활성화되고 있다. 계약직과 프리랜서를 중심으로 노동시장이 재편되면서 일거리들이 조각나고 있고, 기술을 토대로 노동의 수요와 공급을 연결하는 디지털 플랫폼의 출현이 N잡러가 자라날 수 있는 최적의 토양을 마련해준 것이다. 이와 같은 변혁의 파도에 올라선 밀레니얼 세대는 예측할 수 없는 미래에 대응하기 위해 수평적 경력 개발에 박차를 가하고 있다.

지금까지 살펴본 내용에 비추어 보면, 밀레니얼 세대를 의지가 약하고 끈기가 없는 세대라고 평가하기에는 무리가 있다. 오히려 이들은 그 어떤 세대보다 열정적으로 자신의 앞날을 개척하려고 하며, 이를 위해서라면 모험도 감수하는 탐험가에 가깝다. 이 새로운 세대는 업무를 통해 새로운 것들을 배우고 싶어 하고, 이런 기회를 얻을 수 있다면 기꺼이 돈과 시간을 투자한다. 또한 사회적 잣대에 따른 성공보다는 스스로 성장하고 있는지에 대한 확신을 중시하고, 자신이 몸담고 있는 직장의 규모나 직함이 주는 무게보다는 회사라는 울타리를 벗어나서도 생존할 수 있는 경쟁력을 갖추고 싶어 한다. 다시 말해 오늘날 밀레니얼 직장인들이 갈망하는 것은 일을 잘하는 사람, 즉 '일잘러'로 거듭나기이다.

03

'끊임없이 학습하는 인간'의 등장

오늘날은 내일을 예측하지 못하는 시대, 빨라도 너무 빠르게 변화하는 시대이다. 밀레니얼 세대가 일잘러를 꿈꾼다고는 하지만, 이러한 변혁의 시대에 경쟁력을 갖춘다는 것은 말처럼 쉬운 일이 아니다. 당연한 이야기지만 이직이나 전직을 하기 위해서는, N잡러로 거듭나기 위해서는 그에 걸맞은 지식과 실력을 갖추어야 한다.

배움으로 경쟁력을 기른다

맨파워그룹의 조사에 따르면, 밀레니얼 세대는 한 직장에 계속 다니기 위한 조건으로 '임금 인상'에 이어 '새로운 도전이나 승진'을 꼽았다. 또한 54%의 응답자는 오랜 기간 일하고 노동시장에서 필요로 하는 스킬을 습득하는 것이 직업 안정성과 밀접하게 연결된다고 응답했다. 아울러 이 세대는 다음 직급으로 나아가는 데 '좋은 인맥good connection'보다 높은 수준의 스킬, 성과, 경험이 중요하다고 여긴다. 이를 충족하기 위해 기울일 수 있는 노력은 단연 '배움'이다.

● **다음 직급으로 나아가기 위해서 필요한 것**

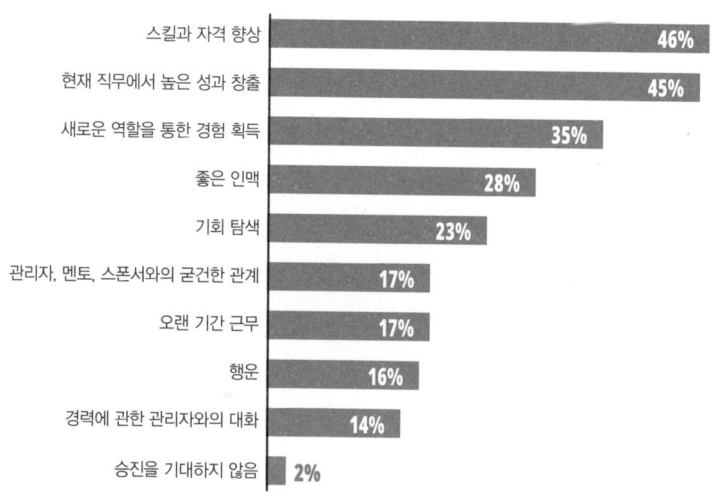

스킬과 자격 향상	46%
현재 직무에서 높은 성과 창출	45%
새로운 역할을 통한 경험 획득	35%
좋은 인맥	28%
기회 탐색	23%
관리자, 멘토, 스폰서와의 굳건한 관계	17%
오랜 기간 근무	17%
행운	16%
경력에 관한 관리자와의 대화	14%
승진을 기대하지 않음	2%

출처: 맨파워그룹

실제로 밀레니얼 세대는 미래에 대비하기 위해 끊임없이 학습한다. 미국의 경제 뉴스 전문매체인 CNBC에 따르면, 베이비부머는 새로운 기술을 습득하는 데 소극적인 반면에 밀레니얼 세대와 Z세대는 적극적으로 자기 계발을 모색한다. 온라인 학습 플랫폼 유데미Udemy가 2018년에 발간한 리포트 역시 밀레니얼 세대의 42%가 직장을 고를 때 배움과 역량 개발의 기회를 고려하며, 응답자의 73%는 커리어를 가꾸기 위해 공부를 더하거나 트레이닝을 받을 의사가 있다고 보고했다.

● 학습과 경력 개발에 대한 밀레니얼 세대의 인식

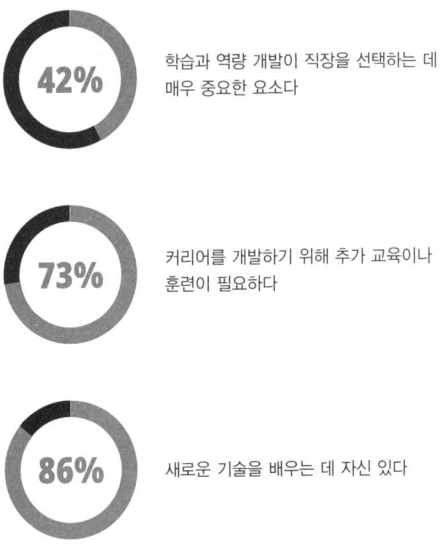

42% 학습과 역량 개발이 직장을 선택하는 데 매우 중요한 요소다

73% 커리어를 개발하기 위해 추가 교육이나 훈련이 필요하다

86% 새로운 기술을 배우는 데 자신 있다

출처: 유데미

한국 역시 비슷한 인식을 가지고 있다. 2018년 엠브레인이 조사한 결과에 따르면, 무려 91.8%의 응답자가 '변화하는 시대에 발맞춰 개인 역시 끊임없이 배워야 한다'고 답했다. 직장 생활을 하면서도 경쟁력을 높이기 위해 끊임없이 자신의 기술과 능력을 개발해야 한다는 인식은 이제 '지배적'이다. 이렇듯 오늘날의 직장인은 생존을 위해, 더 나아가 새로운 가치를 창출하기 위해 끊임없이 배우려고 한다. 무언가를 알고 있어야만 생존할 수 있고, 더 많은 지식을 얻는 데 탐닉해야만 조직을, 산업을, 사회를 혁신할 수 있는 토대를 마련할 수 있기 때문이다.

● **성인 교육 및 평생교육에 대한 인식 및 전망**

변화하는 시대에 발맞춰
끊임없이 배워야 한다

나는 요즘
무언가를 배울
필요성을 느끼고 있다

직장 생활을 하면서도
경쟁력을 높일
필요가 있다

경쟁력을 높이기 위해
업무 관련 '기술/능력'을
따로 배워야만 한다

앞으로 성인 교육
시장은 꾸준한
성장세가 예상된다

이전 세대의 노동자들은 어느 정도의 전문성을 쌓고 나면 은퇴할 때까지 생계를 해결할 수 있었다. 즉 일정 수준의 지식과 역량을 갖추면 일정 기간 동안 살아남을 수 있었다. 하지만 새로운 세대는 사정이 다르다. 이들은 초등·중·고등학교를 졸업했더라도, 나아가 대학에서 학위를 받았더라도 '충분히 배웠다'고 여기지 않는다. 짧은 시간 동안 지식이 몇 배로 불어나고, 이에 따라 세상이, 업계가, 조직이 끊임없이 새로운 역량을 요구하기 때문이다.

급변하는 시대에는 오늘 탄생한 신선한 지식도 하루가 지나면 폐기된다. 새로운 지식이 파도처럼 끊임없이 밀려온다. '평생학습'이라는 키워드가 글로벌 경제 주간지 《이코노미스트The Economist》의 2017년 1월 호의 표지를 장식한 점은 이러한 변화를 잘 보여준다. 일자리와 업무 환경이 급변하고 새로운 기술을 습득할 필요성은 높아지지만 직장 생활을 시작할 때 가졌던 학위나 자격증은 해결책이 되지 못한다. 기업이 직무 교육을 제공하기는 하지만 오늘날의 직장인은 수십 년간 지속될 커리어를 위해 지식과 기술skill을 끊임없이 스스로 업데이트해야 한다.

교육이 기술technology의 변화 속도를 따라잡지 못하면 사회 불평등의 심화라는 결과를 낳는다. 산업 분야를 막론하고 혁신적인 변화가 닥쳤을 때 필요한 기술을 갖추지 못한 사람은 도태되기 마련이다. 이 사실을 이미 노동시장의 중심으로 자리 잡은 밀레니얼 세대가 다른 누구보다 절감하고 있다. 이들은 평생직장과 평생직업에 대한 환상이 크지 않다. 자기 자신의 경쟁력만이 자신의 삶을 지탱해줄 수 있다고 믿을 뿐이다. 그렇기 때문에 성장과 발전을 갈구하는 밀레니얼 세대는 '학습에 대한 초조함'을 안고 살아간다. 이들이 경쟁력을 키우는 방식은 단연 '배움'이며, 직장 생활을 하면서도 학습을 통해 계속 자신의 역량을 벼리려는 욕망이 크다. 이른바 '끊임없이 학습하는 인간'이 등장한 것이다.

다양한 배움터에서 제 마음대로 배우는 밀레니얼 세대

이처럼 밀레니얼 세대는 '적극적인 학습자'로 거듭나고 있다. 학습 기술learning technology 및 기업 교육 리서치기관인 투워드머처리티Toward Maturity 가 2016년에 밀레니얼 세대를 대상으로 조사한 바에 따르면, 응답자의 68%가 필요한 지식을 어디에서 얻을 수 있을지 알고 있었고, 91%에 이르는 이들이 자신만의 속도로 학습하기를 원했다. 또한 72%가 자신이 무엇을 배우고 싶은지, 그 이유가 무엇인지에 대한 명확한 계획을 가지고 있었으며, 80%에 달하는 이들이 무엇을 배워야 하는지 알고 있었다.

오랜 시간 동안 직장인의 경력 관리는 조직의 몫이었다. 이로 인해 역량 개발 역시 직장에서 제공하는 교육에 많이 의존해왔던 것이 사실이다. 여기서 문제는 직장에서 제공하는 직무 교육만으로는 역량 개발의 욕망을 충족하는 데 한계가 있다는 점이다. 《이코노미스트》가 지적

- **주체적인 학습자, 밀레니얼 세대**

68%	어디에서 자신이 원하는 학습과 배움을 얻을 수 있는지 알고 있다
91%	자신만의 속도로 학습하기를 원한다
72%	무엇을 왜 배우고자 하는지에 대한 명확한 계획을 가지고 있다
80%	무엇을 배워야 하는지 알고 있다

출처: 투워드머처리티

한 바와 같이, 일자리와 업무 환경이 급변하고 새로운 기술을 습득할 필요성은 높아졌으나 직장 생활을 시작할 때 필요했던 학위나 자격증은 이에 대한 해결책이 되지 못했다. 기업이 제공하는 직무 교육은 직무 수행 능력을 키워주기는 하지만 더 나아가 수십 년간 지속될 커리어 전반에 걸쳐 지속적인 갱신을 해주기에는 부족하다. 직장 내의 전통적인 직무 교육은 줄고 있고, 창업이 확산되면서 점점 더 많은 사람들이 자기 자신에게 필요한 기술에 대한 책임을 직접 떠맡게 되었다. 코세라 Coursera 나 유다시티Udacity, 에덱스edX 와 같은 개방형 온라인 강좌Massive Open Online Course, 이하 MOOC 나 링크드인 러닝LinkedIn Learning 과 같은 직장인들을 위한 온라인 교육 서비스는 직무 교육의 '대체 제공자'가 될 수 있다.

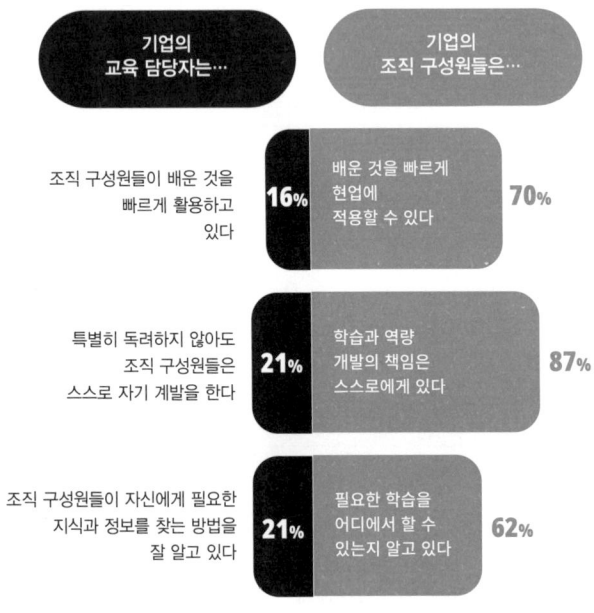

● 기업의 교육 담당자와 학습자 간의 인식 차이

기업의 교육 담당자는⋯	기업의 조직 구성원들은⋯

조직 구성원들이 배운 것을
빠르게 활용하고
있다 · **16%** | 배운 것을 빠르게 현업에 적용할 수 있다 · **70%**

특별히 독려하지 않아도
조직 구성원들은
스스로 자기 계발을 한다 · **21%** | 학습과 역량 개발의 책임은 스스로에게 있다 · **87%**

조직 구성원들이 자신에게 필요한
지식과 정보를 찾는 방법을
잘 알고 있다 · **21%** | 필요한 학습을 어디에서 할 수 있는지 알고 있다 · **62%**

출처: 투워드머처리티

이러한 대체재는 매우 풍부한 데다 매력적이기까지 하다. 글로벌
시장조사기관인 갤럽Gallup의 조사에 따르면, 밀레니얼 세대 응답자의
87%가 직장에서 전문성을 기르는 것은 매우 중요하지만, 기업에서 제
공하는 교육은 지루하다고 응답했다. 또한 기업의 교육 담당자의 인식
과 달리 오늘날의 직장인들은 자신에게 필요한 학습 자원에 어렵지 않
게 접근하고, 배운 바를 업무에 적용할 수 있다는 자신감을 가지고 있
다. 그리고 자기 계발의 책임이 기업이 아닌 스스로에게 있다고 생각

한다.

실제로 밀레니얼 직장인들은 기존의 직무 교육에만 의존하지 않는다. 이들은 유튜브에 접속하여 필요한 지식을 얻는 데 주저함이 없는다. 더 많은 정보가 필요하면 구글Google 검색창이나 온라인 커뮤니티, 블로그에서 검색을 한다. 경우에 따라서는 분야별 전문가의 SNS나 블로그를 살펴보기도 하고, 유료 구독 서비스를 통해 정제된 콘텐츠를 받아 본다. 팟캐스트pod cast 나 오디오북audio book 을 통해 책이나 전문 정보를 습득하는 것은 더 이상 낯선 일이 아니다. 더 깊이 이해하고 싶다면 코세라나 유다시티에 접근한다. 비용을 지불하고 온/오프라인 강의를 구매하거나 독서 모임에 참석하여 사람들과 지식을 나누는 것은 물론이다. 오늘날의 직장인들은 과거에 비해 훨씬 더 많은 채널에서 지식과 배움을 얻고 있다.

글로벌 컨설팅회사인 보스턴컨설팅그룹Boston Consulting Group, BCG 이 2019년에 발표한 조사 결과에서도 이러한 변화를 살펴볼 수 있다. 이 조사에는 전 세계 197개국, 36만6,139명의 직장인이 참여했는데, 대학이나 대학원과 같은 전통적인 교육기관을 통해 새로운 스킬을 배우겠다고 대답한 사람은 전체 응답자 중 34%에 불과했다. 그 대신 대부분의 직장인들은 스스로 학습하거나, 일터에서 배우거나, 컨퍼런스 또는 세미나에 참석하거나, 온라인 강좌 또는 모바일 애플리케이션을 선호했다. 다시 말해 오늘날 직장인들은 대학이나 기업이 제공하는 교육의 '대체재'를 탐색하고 선택할 수 있는 시대에 살고 있다.

● 새로운 스킬을 배울 때 선호하는 학습 방법

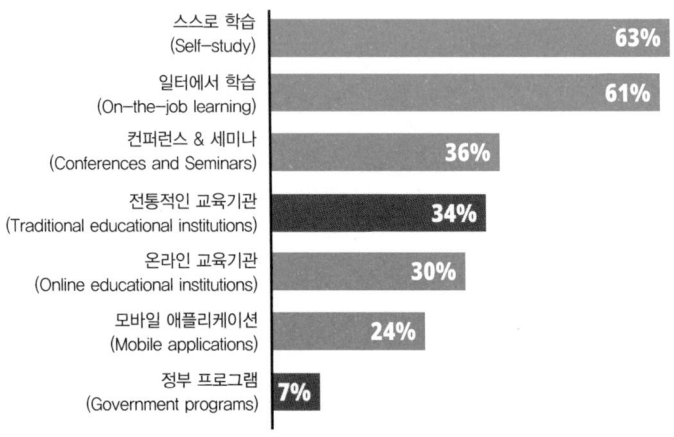

스스로 학습 (Self-study)	63%
일터에서 학습 (On-the-job learning)	61%
컨퍼런스 & 세미나 (Conferences and Seminars)	36%
전통적인 교육기관 (Traditional educational institutions)	34%
온라인 교육기관 (Online educational institutions)	30%
모바일 애플리케이션 (Mobile applications)	24%
정부 프로그램 (Government programs)	7%

출처: 보스턴컨설팅그룹

이러한 흐름에 따라 대학이나 기업에서 제공하는 교육 역시 빠르게 변화하고 있지만 '요즘 것들'의 다채로운 학습 욕구를 모두 채워주기에는 한계가 있다. 기존의 교육기관에 만족하지 못하는 밀레니얼 세대는 자신의 실력을 향상시킬 수 있다는 확신이 든다면 기꺼이 돈을 쓴다. 이들이 배우는 목적은 기업이 원하는 직무를 잘 수행하는 데 있다기보다는 스스로의 경쟁력을 갈고 닦는 데 있다. 근래 성인 학습시장이 급속도로 팽창하고 있는 이유도 이와 같은 욕망을 충족하는 서비스들이 속속 등장하고 있기 때문이다.

이 모든 변화는 밀레니얼 세대가 품은 '성장을 향한 열망'에 뿌리를 두고 있다. 우리가 살아가는 세상, 커리어를 가꾸어나가는 일터는 시간이 갈수록 복잡해지고 있다. 한 영역에서 성공하기 위해 필요한 지식과 경험의 양은 매 순간 곱절로 늘어난다. 이러한 시대를 살아가야 하는 밀레니얼 세대는 배움에 대한 초조함을 느낄 수밖에 없다. 이들은 무언가를 끊임없이 배우고자 할 것이고, 성장 욕구를 해소할 기회를 찾아 헤맬 것이다. 바로 이것이 우리 시대의 밀레니얼 직장인들의 학습 생태계를 풍성하게 만드는 토양이자 배움의 진화를 이끄는 원동력이다.

제2장

밀레니얼은 맹렬하게 배운다

배움의 진화를 이끄는 세 가지 키워드

01

스킬갭 :
스펙이 아닌 스킬의 시대

자동화가 일자리를 빼앗는다?

2018년 5월 8일, 구글은 세상이 깜짝 놀랄 만한 서비스를 선보였다. 지난 몇 년간 등장한 어떤 기술보다 놀라운 것이었고, 덕분에 청중의 뜨거운 반응을 이끌어냈다. 그 서비스의 이름은 '듀플렉스Duplex'. 구글의 최고경영자인 순다르 피차이Sundar Pichai는 이 자리에서 머신러닝과 음성 챗봇, 그리고 듀플렉스 기술이 결합된 서비스를 시연하며 멀지 않은 미래의 모습을 보여주었다. 인공지능 비서인 구글 어시스턴트Google Assistant가 사람 대신 레스토랑에 예약 전화를 걸고, 상대방과 자연스레인사를 나누고, 참석자 수를 알리며, 추임새까지 넣으면서 예약 가능한 시간을 조율했다.

IT 전문매체인 《와이어드Wired》의 편집장 니컬러스 톰프슨Nicholas Thompson은 이를 두고 "이런 기술이 3년쯤 뒤에나 나올 줄 알았는데 지금 가능해졌다"라고 언급했다. 그만큼 기술 발전 속도가 빠르다는 의미였다. '기술의 발전 속도가 빠르다'라는 표현이 새롭지 않은 시대에 살고 있기는 하지만, 이렇게 획기적인 서비스의 등장을 보고 있노라면 이 진부한 문장이 새삼스럽다.

어떤 이들은 이토록 빠른 변혁에 경탄하며 다가올 장밋빛 미래를 꿈꾼다. 하지만 기술의 급속한 발전은 '일자리의 위기'라는 새로운 두려움을 낳는다. 듀플렉스 시연 장면대로라면 인공지능 비서는 고객 응대나 사무 지원 업무를 무리 없이 수행할 수 있다. 즉 본디 그 업무를 담당하던 인력은 불필요해진다는 것을 의미한다. 이 지점이 바로 듀플렉스의 시연이 자동화automation에 따른 일자리의 위기를 상징하는 사건인 이유이다.

실제로 구글은 듀플렉스에 이어 인공지능 콜센터 서비스인 '콘택트 센터 AIContact Center AI'를 발표했다. 이 솔루션 서비스는 간단한 고객의 질문에는 바로 답변하며, 질문 내용이 복잡하거나 사람의 대응이 필요한 경우에는 고객을 담당자에게 연결해준다. 로봇이나 기술이 단순 업무나 육체적인 노동을 대체하는 것을 넘어 사람과의 커뮤니케이션이 필요한 일들까지 집어삼킬 가능성이 높아지고 있는 것이다.

사실 인류 역사에서 새로운 기술의 출현은 언제나 두려움을 안겨주었다. 초기 산업혁명을 이끈 방적기는 직물을 짜는 공정을 획기적으로 단축했다. 숙련된 장인만큼 정교하게 씨실과 날실을 엮으면서도 사람보다 훨씬 빠르게 일을 처리하는 기계의 등장으로 그 일을 하던 수많은 사람이 일자리를 잃었다. 1811년, 영국에서 기계 파괴를 주창하며 일어난 러다이트Luddite 운동은 이러한 사회적 변화가 잉태한 노동자들의 위기감으로 인해 일어난 역사적인 사건이다.

이처럼 기술은 인류 사회의 진화를 이끄는 동시에 노동시장을 재편하고, 그에 따른 일자리 공포를 선사한다. '4차 산업혁명' 또는 '디지털 전환digital transformation'이라는 선언 아래 인공지능, 빅데이터, 클라우드, 블록체인, 사물인터넷 같은 기술 용어들이 거론되는 오늘날도 크게 다르지 않다. 기술의 발전과 자동화가 인간을 대체할 것이라는 우려는 미래의 일이 아닌 '오늘'의 일이 되어버린 것이다.

이러한 전망은 일부 사람들의 주관적인 주장이 아니다. 2017년, 매킨지글로벌연구소McKinsey Global Institute, MGI는 이 문제를 두고 46개국, 800개 이상의 직업, 2,000개 이상의 업무를 대상으로 연구를 진행했다. 그 결과를 담은 보고서에 따르면 2030년까지 자동화로 인해 일자리를 잃을 노동자는 4억 명에서 8억 명에 달한다. 이는 전 세계 노동 인구의 15~30%에 해당하는 수치다. 한국 역시 전체 일자리의 25~26%가 자동화로 인해 사라질 것이다.

매킨지글로벌연구소는 여기서 더 나아가 어떤 직무가 자동화라는 위협에 취약한지 분석했다. 이를 위해 연구진들은 직무를 수행하는 데 필요한 스킬을 크게 다섯 가지로 나누었다. ① 물건을 옮기는 등 신체의 힘을 쓰는 육체적 스킬physical and manual skills, ② 간단한 읽기나 쓰기, 데이터 입력 등에 해당하는 기본적인 인지 스킬basic cognitive skills, ③ 비판적 사고력이나 문제 해결 능력을 필요로 하는 고차원적인 인지 스킬higher cognitive skills, ④ 다른 사람과 교류하는 사회적·감성적 스킬social and emotional skills, ⑤ 코딩처럼 기계와 소통하는 기술적 스킬technological Skills이다. 이 중 육체적 스킬과 기본적인 인지 스킬의 비중이 큰 직업군은 소멸될 가능성이 매우 높았다. 이러한 경향은 시간이 갈수록 가속화할 것이다.

밀레니얼 세대는 바로 이런 시대를 살아가고 있다. 많은 이들이 '숙련되었지만 새로운 기술에는 익숙하지 않은' 사람들, 즉 대체로 나이가 많은 노동자들이 자동화라는 파도에 희생양이 될 것이라고 여긴다. 베이비부머가 육체적 스킬 또는 기본적인 인지 스킬의 비중이 높은 직업군에서 일할 것이라는 인식 때문이다. 반대로 밀레니얼 세대는 기술이 재편하는 시대의 흐름에 민감하고, 기술이 대체할 수 없는 직군에 뛰어들었을 것이라는 의견에 힘이 실린다.

그러나 월간 방문자 수가 2억 명에 달하는 취업 플랫폼 인디드Indeed의 연구 결과에 따르면 밀레니얼 세대도 자동화의 위협에서 결코 자유롭지 않다. 인디드의 연구기관인 인디드 하이어링랩Indeed Hiring Lab의 연구자 대니얼 컬버트슨Daniel Culbertson은 자동화가 각 세대에 미치는 고용

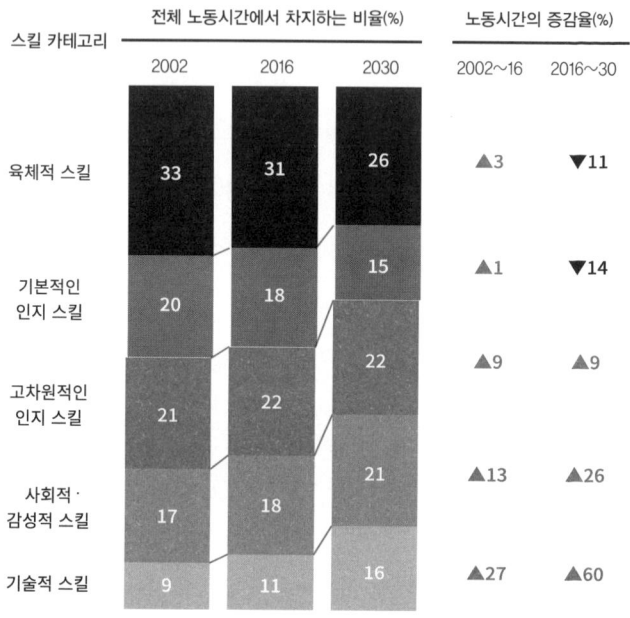

● 2002~2030년 스킬 카테고리별 노동시간

스킬 카테고리	전체 노동시간에서 차지하는 비율(%)			노동시간의 증감율(%)	
	2002	2016	2030	2002~16	2016~30
육체적 스킬	33	31	26	▲3	▼11
기본적인 인지 스킬	20	18	15	▲1	▼14
고차원적인 인지 스킬	21	22	22	▲9	▲9
사회적·감성적 스킬	17	18	21	▲13	▲26
기술적 스킬	9	11	16	▲27	▲60

출처: 매킨지글로벌연구소

위험을 살피기 위해 인디드의 이력서 데이터와 직업 정보를 바탕으로
시사점을 도출했다. 이 분석에 따르면 일상적인 업무나 자동화에 따른
위협이 큰 직무에 가장 관심을 보인 세대는 51.2%의 비율을 차지한 베
이비부머이다. 하지만 그 뒤를 따르는 것은 X세대가 아닌, 49.8%를 기
록한 밀레니얼 세대이다. 이 결과를 두고《워싱턴포스트The Washington Post》
는 가까운 미래에 밀레니얼 세대의 절반가량은 일자리를 두고 로봇과
경쟁할 것이라고 내다보았다.

이와 같은 전망들에서 볼 수 있듯이 자동화라는 시대의 흐름은 밀레니얼 세대의 생존을 위협하기 충분하다. 미국의 언론 매체인《악시오스Axios》는 밀레니얼 세대가 "자동화로 인한 일자리 충격을 오롯이 흡수하는 첫 세대"가 될 것이라고 이야기했다. 선진국을 중심으로 저성장기에 접어든 경제 환경으로 인해 이 세대는 부의 축적을 생각하기 이전에 취직을 걱정해야 한다. 열심히 공부해서 대학 학위를 취득한 후에도 변화무쌍한 환경 변화에 대응하기 위해 꾸준히 새로운 역량을 습득해야 한다. 대학에 진학하지 않고 일자리를 얻는다고 해도 단순하고 반복적인 일의 비중이 큰 직무는 로봇에 의해 대체될 가능성이 높다. 밀레니얼 세대는 말 그대로 진퇴양난의 상황에 빠진 것 같다.

그런데 과연 자동화는 인간의 일자리를 모조리 앗아가고 밀레니얼 세대를 질식시키는 재앙일까?

일자리는 줄지 않는다, 새로운 스킬을 요구할 뿐

가리 카스파로프Garri Kasparov는 인공지능의 역사를 논할 때 빠지지 않고 언급되는 인물이다. 이 아제르바이잔 태생의 체스 챔피언이 1997년, IBM의 슈퍼컴퓨터 '딥블루Deep Blue'와의 체스 대결에서 참패한 사람이기 때문이다. 이 사건은 그에게 '인공지능에게 패배한 최초의 인간'이라는 오명을 안겨주었으며, 끊임없이 회자되는 이야깃거리이다.

2018년, '인공지능에게 패배한 최초의 인간'이 《월스트리트 저널 Wall Street Journal》에 칼럼을 기고했다. 이 글에서 그는 자신의 패배는 기계가 인간에게 승리한 것이 아니라 그것을 만든 인류의 승리라고 평가했다. 또한 망원경이 우리의 시야를 확장해주는 것처럼 기계는 인간의 지능을 증폭시킴으로써 통찰력을 더해줄 것이라고 강조했다. 그는 인간 역시 지능적인 기계와 더불어 발전하기 때문에 인공지능으로 대체되지 않을 것이라는 메시지를 전달한 것이다.

이러한 입장은 기술이 인간을 대체하는 위협이 아니라 인간의 조력자이며 기술을 통해 인간이 더 효율적으로 일할 수 있다고 주장한다. 즉 기술이 인간의 지능과 역할을 복제한다기보다 인간의 전문성을 향상하고 확장한다는 것이다. 이와 같은 시각에는 기술과 인간이 상호작용하면서 서로의 능력을 극대화한다는 '협업'의 관점이 녹아 있다. 또한 스스로 이해하고, 판단하고, 학습하고, 사람 및 다른 기계와 상호작용할 수 있는 지능적 기술이 인간의 능력을 확장하는 데 기여하는 점을 긍정적으로 평가한다.

새로운 기술은 언제나 인간의 일자리를 빼앗았지만 사실 전에 없던 일자리를 창출하기도 했다. 자동차의 발명은 이전에 교통수단으로서 공고한 위치를 차지하던 마차를 소멸시켰다. 이로 인해 마차와 안장을 제작하는 사람들이나 말 사육자와 같은 노동자들은 일자리를 잃었다. 하지만 이러한 변혁은 다른 한편으로 자동차 판매, 유통과 물류, 자동차 대리점과 수리점, 주유소, 편의점 등 수많은 일자리를 창출했다. 1910

년에서 1950년 사이에 미국에서는 자동차의 도입으로 인해 약 700만 개의 새로운 일자리가 탄생했다.

자동화의 물결 역시 일자리를 줄이기만 하지는 않는다. 세계경제 포럼World Economic Forum, WEF은 2018년에 발간한 보고서를 통해 직장에서 사용하게 될 기계와 알고리즘으로 인해 향후 5년간 1억3,300만 개의 새로운 일자리가 태어날 것이라고 전망했다. 매킨지글로벌연구소 역시 기술의 발전으로 인해 2030년까지 전 세계에 걸쳐 새로이 탄생할 일자리는 5억5,500만 개에서 8억9,000만 개에 달할 것이라고 내다보았다. 즉 이러한 예측대로라면 기술의 발달은 사람들의 일자리를 앗아가는 동시에 수많은 일자리를 만들어낸다.

여기서 중요한 점은 이러한 변화에 대응하기 위해 2030년까지 직업 전환이 필요한 전 세계 노동자들이 7,500만 명에서 3억7,500만 명에 달한다는 것이다. 이는 전 세계 노동자의 14%에 해당하는 수치이다. 그리고 이런 직업 전환을 위해서는 기계나 인공지능과 함께 일할수 있는 스킬과 지식을 배우는 과정이 필요하다. 더욱이 노동시장에 진입한 지 오래 지나지 않은 밀레니얼 세대는 학교를 졸업한 후에 무언가를 배우지 않아도 정년을 채울 수 있는 시대는 끝났다는 것, 평생을 배워야만 생존할 수 있다는 것을 절감하고 있다. 문제는 기존의 교육 시스템이 이러한 변화에 빠르게 대응하지 못하고 있다는 것이다. 밀레니얼 세대에게 대학의 학위 같은 전통적인 고등교육의 결과는 경쟁력의 증표가 될 수 없다. 고도의 전문적인 능력이 요구되는 직업조차도 가까운 시일 내에 축소되거나 사라질 수 있기 때문이다. 이른바 스펙이 아닌 스킬의 시대가 열린 것이다.

오늘날의 노동시장은 끊임없이 새로운 역량을 요구한다. 이를 충족하려면 다양하고 전문화된 스킬을 배울 수 있는 토양이 마련되어야 한다. 평생학습 분야는 대학 교육, MOOC, 전문기술학원, 평생교육원 등 다양한 방면으로 나뉘어 진화하고 있지만 노동시장의 수요를 충족하기에는 역부족이다. 밀레니얼 세대가 자신에게 꼭 맞고 필요한 교육을 찾아내는 데에는 많은 시간과 비용이 든다. 사정이 이렇다 보니 각계에서 평생교육의 중요성을 역설하고 있지만 실상은 그에 미치지 못하고 있다.

전 세계적으로 스킬갭skills gap이 사회적 문제로 대두한 이유가 바로 이것이다. 스킬갭이란 노동자가 현재 보유하고 있는 스킬과 일터에서 필요로 하는 역량의 간극을 의미한다. 경제협력개발기구OECD는 전 세계 성인 4명 중 1명 이상이 이러한 스킬갭 문제를 겪고 있다고 분석했다. 또한 글로벌 시장조사기관인 가트너Gartner의 2018년 보고에 따르면 노동자의 70%는 현재 자신의 업무에 필요한 기술을 숙달하지 못했다고 여겼다. 세계 최대의 HR 컨퍼런스를 개최하는 인적자원관리협회Society for Human Resource Management의 설문 조사에 참여한 인사 담당자 중 75%는 스킬갭 문제가 채용에 걸림돌이 된다고 답했다. 미국 정부는 스킬갭으로 인해 일자리 660만 개가 남아돌고 있다고 진단했다. 한국의 정보기술진흥센터 역시 노동시장의 변화 속도는 빠른 데 비해 노동자의 숙련도는 미진한바, 재교육 시스템을 구축하지 않으면 노동시장의 혼란이 가중될 것이라고 내다보았다.

사실 일터와 학교 교육의 간극은 어제오늘의 일이 아니다. 오랫동안 기업의 인사 담당자나 실무자들은 "직원을 뽑아도 다시 가르쳐야 해"라는 말을 농담처럼 해왔다. 물론 결코 농담만은 아니다. 회사에서 통용되는 보고서나 기획서는 학교에서의 글쓰기와는 다른 역량을 필요로 한다. 전공과 밀접한 직무를 수행하려고 해도 현장과 교과서 간에는 큰 차이가 있다. 결국 아무리 기본 소양이 뛰어난 신입 사원이라고 할지라도 일정 기간 동안 선임 직원의 감독 아래 많은 것을 배워야 기업의 일원으로 안착할 수 있다.

그러나 오늘날의 스킬갭은 이런 문제와는 차원을 달리한다. 채용 이후에도 기업이 노동자들에게 새로운 역량을 계속해서 요구하기 때문이다. 세계경제포럼도 현재 직무를 수행하는 데 필요한 핵심 스킬의 42%가 2022년에는 새로운 스킬로 대체될 것으로 내다보았다. 기술의 급격한 발전에 따른 비즈니스 지형에 기민하게 대처해야 하는 기업 입장에서는 불가피한 일이다. 이와 같은 스킬갭 문제를 해결할 수 있는 개념으로 주목받고 있는 것이 바로 업스킬링upskilling과 리스킬링reskilling이다.

스킬갭을 메워라: 업스킬링 & 리스킬링

업스킬링은 해오던 일을 더 잘하고 복잡한 역할을 수행할 수 있도록 현재의 스킬 수준을 향상하는 것이고, 리스킬링은 다른 직무와 역할을 수행하기 위해 새로운 기술을 배우는 것이다. 이 두 가지는 노동자들의 역량을 재점검하고, 기존의 역량을 개선하고, 새로운 역량을 습득하는 중심축이다. 스킬갭을 극복하고 조직의 성과를 극대화하려는 기업과 경쟁력을 벼리기 위해 배움을 갈망하는 밀레니얼 세대의 욕구가 뒤섞여 매우 중요한 트렌드로 떠오르고 있다.

특히 조직 구성원들의 역량 향상과 미래에 대응하기 위한 교육 훈련을 고심하는 기업들은 업스킬링과 리스킬링에 많은 관심을 기울이고 있다. 세계경제포럼이 강조한 바와 같이 기업에 종사하는 전체 노동자 중 업스킬링과 리스킬링이 필요한 인력은 54%에 달한다. 딜로이트가 매년 발간하는《세계 인적 자본 동향Global Human Capital Trends》에서도 같은 맥락을 읽어낼 수 있다. 2015년부터 2019년까지 전 세계 기업이 꼽아온 핵심 과제를 살펴보면 '학습'은 언제나 상위권을 차지했다. 그리고 2019년, 학습은 리더십이나 인재 확보 같은 전통적인 핵심 과제를 제치고 가장 중요한 문제로 부상했다. 이러한 경향은 산업군을 가리지 않고 나타난다.

● 2015~2019년 기업이 꼽은 HR 핵심 트렌드

순위	2015년	2016년	2017년	2018년	2019년
1	문화 & 몰입 (Culture and Engagement)	조직 설계 (Organizational design)	미래 조직 (Organization of the future)	임원들의 협력 (Symphonic C-Suit)	학습 (Learning)
2	리더십 (Leadership)	리더십 (Leadership)	커리어 & 학습 (Career and learning)	사람 데이터 (People data)	직원 경험 (Human experience)
3	학습 & 역량 개발 (Learning and Development)	문화 (Culture)	인재 확보 (Talent acquisition)	경력에서 경험으로 (From careers to experiences)	리더십 (Leadership)
4	HR 역량 강화 (Reinventing HR)	몰입 (Engagement)	직원 경험 (Employee experience)	웰빙 (Well-being)	인재 이동 (Talent mobility)
5	온디맨드 인력 (Workforce on demand)	학습 (Learning)	성과 관리 (Performance management)	초연결 업무 공간 (Hyper-connected workplace)	HR 클라우드 (HR Cloud)
6	성과 관리 (Performance management)	디자인 씽킹 (Design Thinking)	리더십 (Leadership)	새로운 보상 체제 (New rewards)	인재 확보 (Talent access)
7	HR & 피플 애널리틱스 (HR and people analytics)	HR 역량 강화 (Changing skills of the HR organization)	디지털 HR (Digital HR)	시민의식 & 소셜 임팩트 (Citizenship and social impact)	보상 (Rewards)
8	업무 단순화 (Simplification of work)	피플 애널리틱스 (People Analytics)	피플 애널리틱스 (People Analytics)	인공지능 & 로봇 & 자동화 (AI, robotics and automation)	슈퍼잡 (Superjobs)
9	인재로서의 기계 (Machines as talent)	디지털 HR (Digital HR)	다양성과 포용성 (Diversity and Inclusion)	장수 배당 (Longevity dividend)	팀 (Team)
10	모든 곳에 있는 사람 데이터 (People data everywhere)	인력 관리 (Workforce management)	증강 인력 (The augmented workforce)	인력 생태계 (Workforce ecosystem)	대안 인력 (Alternative workforce)

출처: 딜로이트

● 2019년 산업군별 HR 핵심 트렌드

	모든 산업군	소비재 산업	에너지, 자원, 공업	금융 서비스	정부 및 공공 서비스	생명과학 및 헬스 케어	전문 서비스	테크놀로지, 미디어, 통신
학습 (Learning)	**86%**	86%	85%	89%	84%	82%	87%	89%
직원 경험 (Human experience)	**84%**	85%	83%	86%	80%	83%	85%	85%
리더십 (Leadership)	**80%**	80%	81%	81%	72%	79%	79%	82%
인재 이동 (Talent mobility)	**76%**	75%	78%	80%	73%	75%	75%	79%
HR 클라우드 (HR Cloud)	**74%**	76%	74%	79%	72%	70%	73%	76%
인재 확보 (Talent access)	**70%**	70%	67%	75%	69%	70%	71%	73%
보상 (Rewards)	**69%**	72%	68%	72%	55%	67%	70%	72%
슈퍼잡 (Superjobs)	**66%**	69%	69%	68%	65%	63%	64%	65%
팀 (Team)	**65%**	63%	60%	71%	56%	60%	71%	70%
대안 인력 (Alternative workforce)	**41%**	38%	37%	38%	34%	34%	55%	44%

출처: 딜로이트

이 보고서를 자세히 보면 흥미로운 지점들을 발견할 수 있다. 우선 이 조사에 응한 기업 임원들 중 86%는 직원들의 학습과 역량 개발 부분을 개선해야 한다는 데 동의했다. 그러나 이 문제에 준비가 되었다고 응답한 이들은 10%에 불과했다. 또한 가장 중요한 HR 이슈를 묻는 질문에 응답자들은 미래 일자리로의 전환(28%), 업무 재설계(25%), 그리고

리스킬링(24%)을 꼽았다. 아울러 업무 재설계를 어떻게 다룰 것인지에 대한 질문에는 77%의 응답자가 고용보다 훈련을 선택했고, 리스킬링 교육 프로그램에 투자를 늘리고 있다고 답한 이들은 84%에 달했다.

실제로 기업들은 업스킬링과 리스킬링을 통해 직원들의 역량을 개발하는 데 매우 큰 노력을 기울이고 있다. 그 대표적인 사례는 미국의 통신사 AT&T가 2013년부터 운영하고 있는 리스킬링 프로그램이다. 이들이 2013년부터 2016년까지 쏟아부은 금액은 2억5,000만 달러에 달하며, 14만 명이 넘는 직원들을 대상으로 코딩이나 데이터 사이언스와 같은 디지털 역량 개발을 위한 교육을 제공하는 데 쓰였다. 이 모든 것은 AT&T가 디지털 기술로 인해 재편되는 사업 환경을 극복하고 무선 네트워크 사업을 핵심 축으로 삼기 위해서이다. AT&T는 이 목표를 달성하기 위해 리스킬링이라는 전략을 택한 것이다.

세계 최대의 이커머스 업체인 아마존Amazon 역시 조직 구성원들의 디지털 역량 강화에 투자를 아끼지 않고 있다. 2019년 7월, 아마존은 직원들을 대상으로 한 교육 프로그램 '업스킬링 2025Upskilling 2025'를 런칭했다. 이 프로그램의 골자는 미국에서 일하고 있는 직원의 3분의 1, 즉 10만 명에게 재교육 기회를 부여함으로써 직원들의 역량을 강화하거나 새로운 직무를 찾을 수 있도록 돕는 것이다. 본사 직원뿐만 아니라 물류센터나 소매점 직원까지 이 프로그램에 참여할 수 있다. 데이터 분석 기술이나 머신러닝machine learning 등 디지털 역량을 강화할 수 있는 교육을 제공하며, 전문적인 디지털 역량을 갖추지 못한 직원들 역시 대학에 가지 않고도 소프트웨어 엔지니어링 훈련을 받을 수 있다. 아마존은 '업스킬링 2025'에 7억 달러를 투자할 것이라고 밝혔다.

아마존이 이와 같은 프로그램을 폭넓은 직무에 제공하는 이유는 일터에서 디지털 전환을 꾀하여 생산성 혁신을 이루기 위해서다. 아마존은 이미 점원이나 별도의 계산 과정 없이 수백 개의 인공지능 카메라 센서를 통해 결제까지 자동화한 무인 슈퍼마켓, 아마존고ᴬᵐᵃᶻᵒⁿ ᴳᵒ를 런칭했다. 또한 물류 창고에는 선반 운송 로봇인 키바ᴷᶦᵛᵃ를 도입했고, 선반에서 물건을 꺼낼 수 있는 피킹 로봇 개발에 심혈을 기울이고 있다. 이러한 노력이 빛을 발하기 위해서는 현장에서 로봇 시스템과 설비를 다룰 수 있는 인력이 반드시 필요하다. 아마존은 이를 위해 임직원들에게 적절한 교육 프로그램을 제공하는 것이다.

한국의 SK그룹 역시 2020년 '마이써니ₘySUNI'라는 이름의 사내 교육 플랫폼을 런칭했다. SK그룹은 이 플랫폼에서 임직원들에게 인공지능, 디지털 전환, 혁신 디자인, 사회적 가치, 리더십 등 다양한 분야의 온/오프라인 교육을 제공하고 있으며, 아울러 연간 근무 시간의 10%에 해당하는 200시간을 학습에 쓸 수 있도록 지원한다. AT&T나 아마존과 마찬가지로 중장기적 관점에서 조직 구성원들의 디지털 역량을 강화하기 위해서다.

기업이 아무리 양질의 교육을 제공한다고 한들 직원들이 응하지 않는다면 소용이 없다. 그러나 대체 불가한 경쟁력을 갖추고 싶어 하고 학습과 성장에 목말라 있는 요즘 직장인들에게 업스킬링과 리스킬링의 대두는 매우 큰 기회가 될 수 있다. 세계적인 HR컨설턴트인 조시 버신 Josh Bersin 과 글로벌 비즈니스 네트워크 서비스인 링크드인LinkedIn 이 공동으로 수행하여 2018년에 발표한 연구 결과가 이러한 주장을 뒷받침한다. 2,400명의 직장인을 대상으로 한 이 연구에서, 학습하는 직장인은 그렇지 않은 직장인보다 스트레스를 받을 가능성이 47% 낮은 것으로 나타났다. 또한 스스로 생산적이고 성공적이라고 느낄 가능성은 39%, 더 큰 자신감과 행복감을 느낄 가능성은 21% 높았다.

이는 배움이 직장인들에게 큰 만족감을 선사한다는 또 하나의 증거이다. 그 어떤 세대보다도 성장을 욕망하는 밀레니얼 세대가 예외일 리없다. 이들에게 있어 배움이란 업무가 아닌 삶의 일부이며, 배움의 기회가 충분한지 여부에 따라 직장을 선택하기도 하고 떠나기도 한다. 그리고 기술의 급격한 발전, 수명 연장, 산업과 비즈니스 모델의 잦은 변화, 나날이 심각해지는 일자리 위협과 스킬갭, 서서히 두각을 나타내는 업스킬링과 리스킬링은 배움에 대한 밀레니얼 세대의 갈망을 더욱 부추기고 있다.

02

경험 :
지식 습득을 넘어 실천을 통한 배움으로

1998년, 경영컨설턴트이자 대학 교수인 조지프 파인Joseph Pine 과 제임스 길모어James Gilmore 는 《하버드비즈니스리뷰Harvard Business Review》에 〈경험경제로의 초대Welcome to the Experience Economy〉라는 글을 기고했다. 두 사람은 이 글에서 소비자들이 단순히 상품이나 서비스가 아닌, 상품의 고유한 특성에서 가치 있는 경험을 얻는다고 주장했다. 이어 기업이 고객에게 가치 있는 경험을 선사해야 하며, 그 경험 자체가 하나의 상품이 된다는 경험경제Experience Economy의 개념을 제시했다. 그 후 20여 년 동안 경험경제는 산업 전반에 큰 영향을 끼쳤다.

그리고 지금, 이 키워드는 밀레니얼 모멘트의 도래와 함께 전성기를 구가하고 있다. 시장의 큰손이 된 밀레니얼 세대의 선호를 상징하는 키워드가 바로 '경험'이기 때문이다. 미국의 여론조사기관인 해리스 폴Harris Poll의 조사 결과에 따르면 밀레니얼 세대의 78%가 무언가를 구매하는 것보다 경험에 돈을 쓰는 것을 선호한다. 또한 응답자의 72%가 앞으로 경험에 대한 지출을 늘리고 싶다고 답했다. 이와 같은 밀레니얼 세대의 특징으로 인해 사진이나 글, 또는 영상으로 자신의 경험을 공유할 수 있는 SNSSocial Network Service가 더 확산되었다. 또한 숙박 공유 서비스를 통해 여행자에게 잠자리는 물론 현지의 폭넓은 경험을 제공하고자 하는 에어비앤비Airbnb, 차량 공유 서비스를 통해 자동차를 소유하지 않고도 이동의 편의성을 극대화한 우버Uber, 공유 오피스 서비스를 통해 임차료나 보증금 없이 사무실과 사무용품, 기타 편의시설을 제공하는 위워크WeWork 등 오늘날 시장을 선도하는 기업들은 모두 사용자의 경험 혁신을 논한다.

'경험'이라는 키워드는 숙박이나 이동 수단, 업무 공간이나 소비재 등 산업을 막론하고 막강한 영향력을 끼치고 있다. 우리의 일터와 커리어, 그리고 배움의 영역에서도 이 개념은 남다른 존재감을 뽐내고 있기 때문이다. 이 개념을 두고 크게 두 가지를 논하고자 한다. 밀레니얼 세대에게 '일터에서의 경험'이란 어떤 의미를 갖는가? 경험이 왜 최고의 배움인가?

풍부한 경험으로 일머리를 키우고 싶다

스탠퍼드 경영대학원Stanford Graduate School of Business 의 제프리 페퍼Jeffrey Pfeffer 는 "지식은 당신이 지식을 통해 무언가를 실행할 때 비소로 쓸모가 있다"라고 강조한다. 이 말은 지식 경영Knowledge Management (조직 구성원들의 지식과 기술을 체계적으로 발굴하고 공유함으로써 기업의 문제 해결 능력을 향상시키는 경영 방식)을 경계해야 한다는 의미이다. 지식 경영은 그 자체로 옳지만, 아는 것만으로는 충분하지 않고 실행에 무게를 두어야 한다는 것이다. 한편으로 이 명제는 주체적으로 커리어를 개발하고자 하는 오늘날의 직장인들에게 시금석과 같다. 많은 지식만으로는 성과나 문제 해결을 보장할 수 없기 때문이다.

정보 접근성이 현저하게 낮았던 과거에는 많은 지식과 정보를 가지고 있는 것이 곧 경쟁력이었다. 모든 사람이 동일한 정보를 취득할 수 없었기에 뛰어난 학습 능력과 고급 정보에 접근할 수 있는 사람들의 위치는 견고했다. 대학은 지식이 생산되는 전통적인 장소였고, 대학 학위는 더 뛰어난 전문성의 증표와 같았다. 그리고 이 증표는 다시 소득 상승으로 이어졌다. 이 때문에 많은 노동자들이 자신의 전문성을 강화하기 위해 유명한 대학의 학위를 탐하기도 하고, 학사를 넘어 석·박사 학위를 취득하기 위해 대학으로 돌아가고는 했다.

지금은 사정이 조금 다르다. 디지털 기술과 인터넷의 발달로 누구나 고급 정보에 접근할 수 있는 시대에 많은 지식과 정보만으로는 더 이상 경쟁에서 우위에 설 수 없다. 대학은 여전히 지식의 요람이지만, 막대한 자본을 지닌 기업들은 일터와 일상에 밀접한 혁신 기술을 개발하며 새로운 지식 생산을 견인하고 있다. 전통적인 교육은 팽창하는 지식을 모두 담아내지 못하고 있으며, 이제 노동자들은 학위를 받기보다 특정한 스킬을 배우거나 자격증을 취득하기를 바란다. 스킬갭 문제로 인해 일터와 학교 교육의 간극이 벌어지면서 학위가 가진 힘이 예전에 비해 약화되고, 지금 경쟁력이 있는 지식도 내일이면 '오래된 것'이 되어버리는 세상이 온 것이다.

1) 다양한 업무 경험과 탁월한 동료를 원한다

밀레니얼 세대 역시 이러한 시대의 변화를 잘 이해하고 있다. 프로티언 커리어를 지향하는 이들은 한 직장에 머물며 승진하는 것보다 다양한 업무 경험과 성장 기회를 선호한다. 이들에게 직장이란 자신이 성장할 수 있는 터전에 가깝다. 대체 불가능한 경쟁력을 갖추기 위해 고군분투하는 밀레니얼 세대가 직장에서 얻고 싶어 하는 것은 단연 '아는 것know how'이 아닌 '배우는 것learn how'이다. 즉 업무 상황에서 문제에 접근하는 방식을 머리로 이해하는 것을 넘어 실제로 문제를 해결할 수 있는 역량을 함양하기를 원한다.

소프트웨어 제작 기업인 퀄트릭스Qualtrics와 벤처캐피털인 엑셀파트너스Accel Partners의 조사 결과 역시 이러한 경향을 보여준다. 이에 따르면 밀레니얼 세대는 직장에 머무르는 것을 '여행'으로 여긴다. 또한 이들은 다양한 업무 경험과 기업 환경, 그리고 직장 동료를 매우 중요한 가치로 생각한다. 일터에 이런 요소들이 존재하지 않는다면 기꺼이 '다음 여행'을 떠난다. 링크드인 러닝이 2019년에 수행한 조사에서도 밀레니얼 세대의 69%, Z세대의 71%가 직장에서 동료와의 사회적 상호작용을 원한다는 사실이 드러났다. 이는 56%를 기록한 X세대와 54%를 기록한 베이비부머보다 현저하게 높은 수치이다. 즉 밀레니얼 세대가 단조롭고 반복적인 업무를 기피하고, 직함에 큰 의미를 두지 않으며, 잦은 이직을 시도하는 까닭은 더 다채로운 업무 경험과 주체적인 업무 수행, 그리고 동료를 통해 배움으로써 내실을 다지기 위해서다.

이와 같은 양상은 단편적인 지식의 습득보다는 일터에서의 경험을 쌓는 한편 동료 또는 직장 상사와의 상호작용을 통해 일하는 방법, 즉 '일머리'를 키우고 싶은 욕망에서 비롯된다. 필요에 따라 다양한 업무를 수행하고 하나 이상의 커리어를 가꾸고자 하는 밀레니얼 세대에게 일머리를 키우는 것은 매우 중요한 과제이다.

이 역량은 풍부한 경험에 뿌리를 두고 있고, 밀레니얼 세대는 아직 충분한 경험을 갖추었다고 보기 어렵다. 이들이 멘토나 뛰어난 동료를 원하는 이유는 바로 여기에 있다. 자기중심적이고 제멋대로인 밀레니얼 세대가 멘토를 원한다는 이야기가 낯설 수 있다. 자기 잘난 맛에 사는 '요즘 것들'에게 어떻게 멘토링을 해야 할지 고민하는 이들이 적지 않고, 듣기 싫은 소리를 하면 이들이 토라질 것이라 여기는 사람들도 있으니 말이다.

하지만 밀레니얼 세대가 멘토를 원하는 것은 분명한 사실이다. 창의적리더십센터Center for Creative Leadership, CCL의 제니퍼 딜Jennifer Deal과 경제학자 앨릭 레번슨Alec Levenson의 연구에 따르면 밀레니얼 세대의 91%가 현재 멘토가 있거나, 멘토를 원한다고 답했다. 이들에게 있어 멘토란 '자신의 커리어를 지원해주는 사람'이며, 이들은 일터에서 지금보다 더 많은 피드백을 바란다. 다만 이들은 업무에 대한 통제력과 자율성을 원하기 때문에 모든 일에 대한 피드백을 선호하지는 않는다. 아울러 상사의 경우 팀이나 조직의 이해관계가 맞물려 있는 경우가 많기 때문에 멘토로 삼기 어려워하고, 이들에게 유의미한 도움을 받고 있다고 한 응답자는 그리 많지 않았다.

여기서 주목할 것은 '그래서 어떻게 멘토링을 해야 하는가?'가 아니라 '밀레니얼 세대가 다른 사람들로부터 지원이나 배움을 얻기를 바란다'는 점이다. 다른 이들로부터 의미 있는 경험을 얻고, 이 과정을 통해 성장하고자 하는 이들에게 '탁월한 동료가 최고의 복지다'라는 명제는 매우 큰 의미로 다가온다. 밀레니얼 직장인들은 하루의 3분의 1을 일터에서 보내고, 업무를 통해 동료들과 끊임없이 상호작용한다. 이들은 이 시간을 함께할 '영감을 주는 동료'를 원한다. 또한 적극적인 학습자이자 성장을 갈망하며 언제 떠날지 모르는 일터에서 함께 일하는 사람들로부터 끊임없이 배우려고 한다.

이러한 욕구는 인재 육성의 새로운 키워드로 부상한 '70:20:10 모델'과 매우 밀접하다. 70:20:10 모델은 일터에서 개인의 성장에 영향을

- 70:20:10 모델

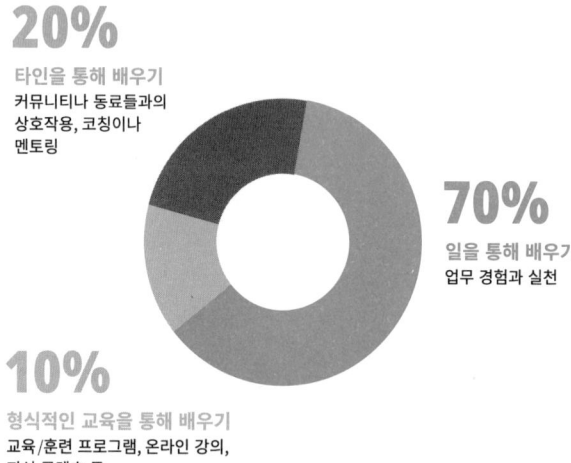

20%
타인을 통해 배우기
커뮤니티나 동료들과의
상호작용, 코칭이나
멘토링

70%
일을 통해 배우기
업무 경험과 실천

10%
형식적인 교육을 통해 배우기
교육/훈련 프로그램, 온라인 강의,
지식 콘텐츠 등

미치는 학습을 세 가지 형태로 구분하고 각각의 비율을 정의한 것이다. 이에 따르면 학습의 약 70%는 일을 통해, 약 20%는 함께 일하는 타인을 통해, 약 10%는 계획된 교육 프로그램이나 자료 등을 통해 이루어진다. 이 중에서 10%에 해당하는 학습은 형식 학습 또는 정형 학습, 20%와 70%에 해당하는 학습은 무형식 학습 또는 비정형 학습이라고 불린다. 이때 형식 학습을 '아는 것Know how', 무형식 학습을 '배우는 것 Learn how'과 연결지어 생각할 수 있다.

　무형식 학습은 말 그대로 형식적이지 않은 학습 활동이다. 이러한 무형식 학습은 동료와의 상호작용이나 인터넷 검색, 자기 성찰, 업무 상

● 무형식 학습의 분류

구분	내용
상호작용	동료와의 의사소통, 타인 관찰, 지식 공유(학습 포럼, 학습 커뮤니티), 멘토링, 비판적 질문, 상사와의 상호작용, 팀 활동, 전문가 자문
정보 활용	인터넷 검색, 관련 전문 서적 및 잡지, 업무 서적 및 매뉴얼, 기사 검색 및 읽기, 이메일 및 메모
개인 생활	반성적 성찰, 과거 경험 상기, 자기주도학습, 탐구하기(파고들기)
업무 수행	시행착오(적용, 연습, 반복), 고객과의 접촉, 부서 회의, 실험, 개인 업무 실행, 현장 방문, 직무 순환

출처: 함현정 & 최원실

황에서의 시행착오 등을 포함한다. 일터에서 멘토나 동료를 통해 성장하는 것은 20%의 영역, 즉 '타인을 통해 배우기'에 해당하지만, 본디 직장에서의 '일'이란 여럿이서 함께 성과를 창출하는 활동이기 때문에 동료와의 상호작용을 통한 배움과 일을 통한 배움은 불가분의 관계이다. 그리고 직장인들은 70:20:10의 모든 영역을 일터에서 경험하며 일머리를 배운다.

2) 일터에서의 경험이 소프트스킬을 길러준다

일머리는 하드스킬hard skill과 소프트스킬soft skill의 결합에 가깝다. 하드스킬이란 직무를 수행하는 데 필요한 정량화할 수 있는 지식이나 능력을 말한다. 즉 UX 디자인이나 컴퓨터 프로그래밍, 회계나 재무, 생산이나 마케팅 등의 스킬이다. 소프트스킬은 다른 사람과의 관계 등 상호작용과 밀접한 능력을 말한다. 커뮤니케이션이나 협상, 팀워크와 리더십, 문제 해결 능력이나 비판적 사고 등이 여기에 해당한다. 스킬갭 문제의 대두와 함께 하드스킬에 대한 논의는 활발하게 이루어지고 있지만, 일터에서는 하드스킬 못지않게 소프트스킬도 중요하다.

실제로 소프트스킬은 오늘날 다른 무엇보다 중요한 역량으로 취급되고 있다. 2016년, 세계경제포럼은 미래 사회에 필요한 역량으로 비판적 사고력critical thinking, 복잡한 문제 해결 역량complex problem solving 창의성creativity, 커뮤니케이션 스킬communication skills, 협업collaboration을 꼽았다. 2018년에는 현재 중요한 역량과 2022년에 그 중요도가 높아질 역량을 발표했다. 이에 따르면 소프트스킬은 현재 중요한 가치일 뿐만 아니라 미래에도 가치가 바래지 않는다.

2017년, 글로벌 컨설팅회사인 PwCPricewaterhouseCoopers 역시 같은 맥락의 보고서를 발표했다. 전 세계 79개국, 1,379명에 달하는 CEO들을 대상으로 디지털 시대에 필요한 역량에 대한 설문을 진행한 결과였다. 응답자들은 디지털 스킬이나 과학 · 기술 · 공학 · 수학 스킬 역시 중요하지만, 그보다 문제 해결 능력, 리더십, 적응력, 창의성 같은 소프트스

● 2018년 vs. 2022년 가치 있는 역량

2018년 가치 있는 역량	2022년 가치 있는 역량
1. 분석적 사고와 혁신	1. 분석적 사고와 혁신
2. 복잡한 문제를 해결하는 능력	2. 적극적 학습과 학습 전략
3. 비판적 사고와 분석력	3. 창의력, 독창성, 주도성
4. 적극적 학습과 학습 전략	4. 기술 설계와 프로그래밍
5. 창의력, 독창성, 주도성	5. 비판적 사고와 분석력
6. 세심함, 신뢰성	6. 복잡한 문제를 해결하는 능력
7. 감성 지능	7. 리더십과 사회적 영향력
8. 추론, 문제 해결 능력과 아이디어	8. 추론, 문제 해결 능력과 아이디어
9. 리더십과 사회적 영향력	9. 리더십과 사회적 영향력
10. 조정 능력 및 시간 관리	10. 시스템 분석 및 평가

출처: 세계경제포럼

킬이 더 중요하고 발견하기도 어렵다고 답했다. 또한 낮은 소프트스킬 수준은 오늘날의 비즈니스에서 매우 큰 위협이 될 수 있다고 응답한 이들은 77%에 달했다.

소프트스킬은 조직은 물론 자동화 시대를 살아갈 밀레니얼 세대에게도 필수적이다. 매킨지글로벌연구소의 보고서를 다시 보면, 미래의 노동시장에서 가장 필요로 하는 스킬은 리더십이나 커뮤니케이션 등

● **오늘날 필요한 스킬의 각축장**

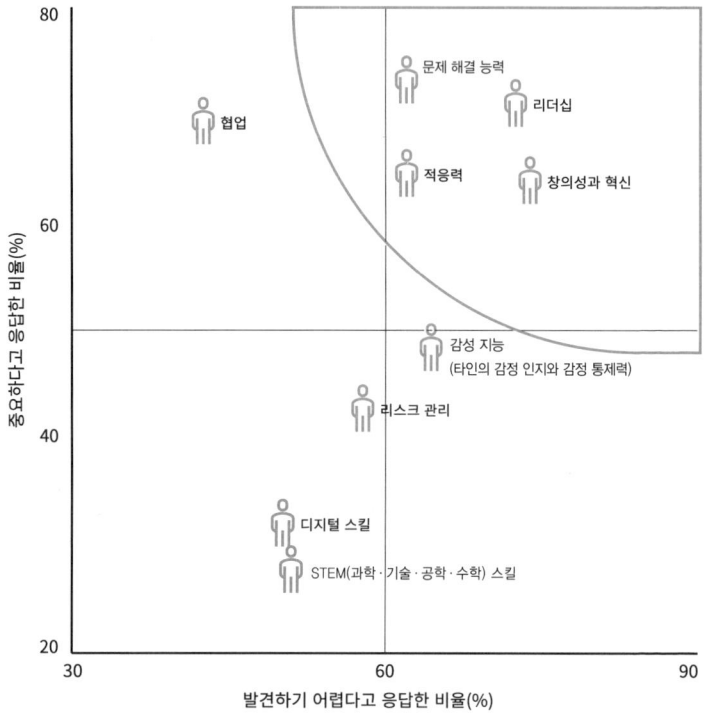

출처: PwC

소프트스킬이다. 물론 디지털 역량과 밀접한 하드스킬 역시 주목받고 있지만, 소프트스킬에 해당하는 사회적 · 감성적 스킬은 미래에도 중요한 역량으로 꼽힌다.

그러나 밀레니얼 세대는 소프트스킬이 부족하고, 이를 개발할 기회를 갖기도 여의치 않다. 글로벌 경제지《포브스Forbes》에 따르면, 조직 관

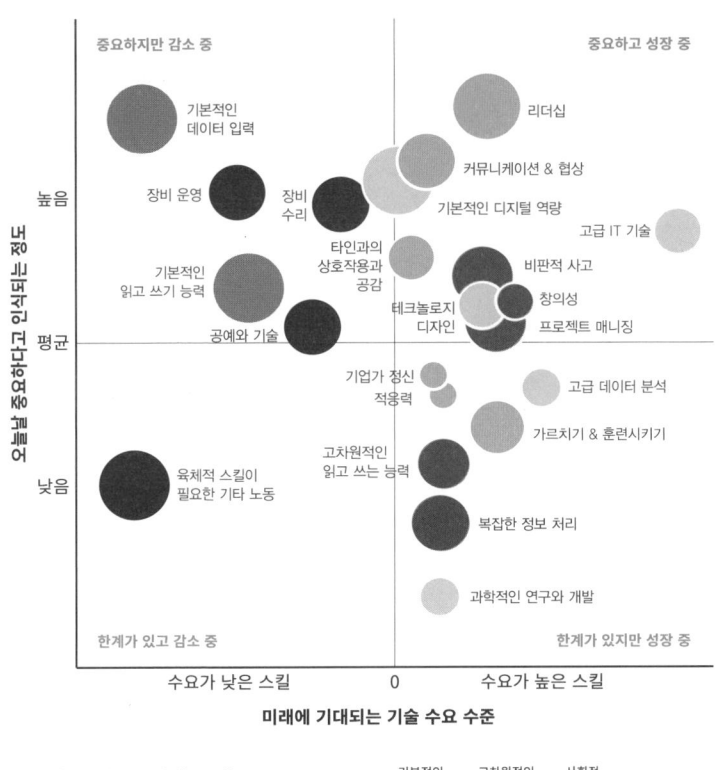

● 오늘의 스킬 vs. 내일의 스킬

중요하지만 감소 중   중요하고 성장 중

기본적인
데이터 입력   리더십

높음   장비 운영   장비   커뮤니케이션 & 협상
              수리
                   타인과의   기본적인 디지털 역량
                   상호작용과   고급 IT 기술
      기본적인   공감   비판적 사고
      읽고 쓰기 능력   창의성
평균   공예와 기술   테크놀로지   프로젝트 매니징
                       디자인

                 기업가 정신
                 적응력   고급 데이터 분석

      육체적 스킬이   고차원적인   가르치기 & 훈련시키기
낮음   필요한 기타 노동   읽고 쓰는 능력

                          복잡한 정보 처리

                          과학적인 연구와 개발

한계가 있고 감소 중   한계가 있지만 성장 중

수요가 낮은 스킬   0   수요가 높은 스킬

미래에 기대되는 기술 수요 수준

원의 크기 = 노동시간(2016년)   ● 육체적 스킬 ● 기본적인   ● 고차원적인   ● 사회적   ● 기술적 스킬
                                         인지 스킬   인지 스킬   감성적 스킬

출처: 매킨지글로벌연구소

리자의 60%가 대학 졸업생들이 비판적 사고와 문제 해결 스킬이 부족하다고 여긴다. 또한 46%의 채용 담당자는 신규 직원들의 커뮤니케이션 스킬이 향상되어야 한다고 답했으며, 리더십 역량과 팀워크 스킬의 개발이 필요하다고 응답한 이들은 각각 44%와 36%였다.

문제는 이러한 소프트스킬은 발견하기 어렵고 개발하기도 어렵다는 데 있다. 하지만 밀레니얼 세대는 '일터에서의 경험'을 통해 이 한계를 극복하고자 한다. 이들은 내가 속한 조직이 시장에 어떻게 접근하는지, 나와 함께 일하는 상사가 배울 만한 리더십을 갖추고 있는지, 내가 속한 팀이 조직 내외의 파트너들을 진심으로 존중하고 '일이 되게끔' 커뮤니케이션하고 있는지, 새로운 문제를 해결하기 위해 우리 조직이 접근하는 방법은 무엇인지 등에 관심이 많다.

만약 조직이 안일하게 시장에 접근하거나, 배울 점이 많지 않은 리더와 함께 일해야 하거나, '건설적인 충돌'이 아닌 체면이나 성과를 두고 갈등을 빚는 일이 잦거나, 의사 결정이 지지부진하거나, 새로운 일을 추진하는 데 세부 사항을 고려하지 않는다면, 이 새로운 세대는 자신이 속한 조직을 '배울 것이 없는 조직'이라고 판단할 가능성이 매우 크다. 조직 바깥에서도 살아남을 수 있는 경쟁력을 원하는 밀레니얼 세대에게 이러한 경험은 시간 낭비처럼 느껴지기 때문이다. 이들은 일머리는 반복적인 경험을 통해 터득할 수 있다는 점을 잘 알고 있다. 일터에서의 경험이 도움이 되지 않는다면, 이 새로운 세대는 거리낌 없이 일터를 떠날 것이다.

모든 밀레니얼 직장인들이 이러한 경험을 갈망한다고 일반화하기에는 무리가 있다. 하지만 분명한 것은 이 세대가 꿈꾸는 일잘러가 단연 학습 곡선learning curve, 즉 일을 함에 있어 필요한 역량은 빠르게 습득하고 실전에 활용하는 성장 곡선을 지닌 사람이라는 것이다. 이는 단편적인 지식과 정보를 얻는 것은 물론이고, 동료들과 협력하여 큰 결과물을 산출하는 과정을 필요로 한다. 이것이 바로 밀레니얼 세대가 인정하는 일머리이자, 이들이 일터에서 가장 얻고 싶어 하는 경험이다.

실천을 통한 학습과 협업을 통한 배움

1) 직접 해보는 것만큼 깊은 배움은 없다

교과서나 매뉴얼을 보는 것보다 일하면서 배우는 게 더 빠르다는 말이 통용된다. 무언가를 실행하기 위해서는 반드시 지식을 습득하는 과정이 선행되어야 하지만, '실전'에서 좋은 성과를 내기 위해서는 많은 경험을 통해 업무 상황에서의 맥락context을 파악하고 일하는 방법을 터득해야 한다. 배운 대로만 했을 때 아무런 문제가 없다면 좋겠으나 일터는 수많은 변수에 따라 다양한 맥락과 상황이 펼쳐지는 곳이다. 사정이 이렇다 보니 이론적으로 안다고 해도 이를 실행하는 데는 서툴 수밖에 없다. 경험과 실천이 배움에 있어 강조되는 이유는 바로 이것이다.

배움은 지식을 습득하고, 주어진 맥락에 통합하고, 실제 상황에 적용하는 과정을 통해 완성된다. 의사가 되기 위해 의대를 다니는 학생 A의 사례를 통해 이 과정을 이해해보자. A는 의대에서 인간의 몸과 질병, 의료에 관한 방대한 지식을 습득한다. 그리고 회진, 외래, 수술 등 임상 실습을 통해 그간 배웠던 지식들을 병원에서 통합하는 과정을 거친다.

이후에는 의료 현장의 일선에서 실제 상황을 맞닥뜨리며 지금까지 배운 모든 것을 적용한다.

이렇게 모든 과정을 거침없이 밟아가는 것은 말처럼 쉬운 일이 아니다. 이번에는 직장인 B를 예로 들어보자. B는 리더에게 경쟁사 벤치마킹 보고를 해야 한다. B는 보고 프로세스나 PPT 양식에 대해 잘 알고 있고, 프레젠테이션에 대한 온라인 강의도 시청했다. 경쟁사에 대한 정보도 나름 열심히 수집하여 보기 좋게 정리했다. 그러나 리더는 벤치마킹 자료를 보강하라고 지시했다. 프레젠테이션을 연습할 시간이 부족했던 B의 보고가 말끔하지 않았던 것이 첫 번째 이유, B가 강조점 없이 준비한 모든 내용이 중요하다고 한 것이 두 번째 이유, 벤치마킹 자료에 '우리 회사의 대응 방안'이 빠져 있었던 것이 세 번째 이유였다.

직장인 B가 잘못을 했다고 보기는 어렵지만, 경험이 부족했다는 것은 확실하다. B는 경쟁사의 단편적인 정보를 취합했을 뿐, 이를 주어진 맥락에 통합하는 데에는 실패했다. B가 업무의 맥락, 즉 벤치마킹 보고의 목적을 충분히 고려했다면 경쟁사의 특징과 장점에 기초하여 자사의 대응 전략과 실행 방안까지 도출했을 것이다. 그 결론이 얼마나 타당한지를 떠나, B가 충분한 업무 경험이 있었다면 리더가 벤치마킹 보고를 지시한 배경을 감안해서 자료를 구성했을 것이다.

예시는 경쟁사 벤치마킹 보고지만 고차원적인 업무에서도 지식의 습득, 통합, 적용은 매우 중요하다. 각 과정이 모두 중요하지만 그중 하나를 꼽으라면 단연 '적용'이다. 그 이유는 이 단계가 바로 배운 바를 실행에 옮기는 전이transfer에 해당하기 때문이다. 우리가 무언가를 배운다는 것은 그저 지식을 보유하기 위해서가 아니라, 일상이나 일터에서 마주하는 문제를 해결하기 위해서다. 이 전이가 성공적으로 이루어지면, 익숙하지 않은 문제가 발생했을 때에도 그동안 축적된 경험에 비추어 맥락을 파악한 뒤 가장 효과적인 해결 방안을 탐색할 수 있다. 이것이 바로 오늘날 '실천을 통한 학습learning by doing'을 실현하기 위한 방법론, 즉 이론적 지식과 생생한 경험을 결합하는 '경험 학습experiential learning'이 각광 받고 있는 이유이다.

밀레니얼 세대의 배움을 논하는 데에서 경험 학습에 주목하는 이유는, 이들이 일터에서의 경험이 진정한 경쟁력을 키워준다는 것을 체감하고 있기 때문이다. 조직 구성원들의 역량을 개발해야 하는 기업 역시 이 점을 충분히 이해하고 있다. 기업 교육 분야에서 70:20:10 모델 중 업무를 통한 학습과 타인을 통한 학습, 즉 70:20이 대두하고 학습을 넘어 성과 창출을 지향하는 교육으로 무게 중심이 옮겨가고 있는 까닭도 이것이다. 단지 기업 교육 분야만의 이야기는 아니다. 대학과 성인 학습 시장 역시 경험과 '실천을 통한 학습'을 실현하기 위한 노력이 이어지고 있다.

이러한 흐름을 관통하는 것이 바로 문제 중심 학습, 즉 PBLProblem-based Learning이다. PBL은 복합적이고 실제적인 문제를 집중적으로 탐구함으로써 학습자의 지식과 역량을 기르는 교육 방법론이다. 이 '복합적이고 실제적인 문제'를 프로젝트 형태로 제공한다는 점에서 프로젝트 기반 학습Project-based Learning과 거의 동일한 개념으로 쓰인다. 이러한 PBL은 실제 상황과 유사한 문제의 맥락을 파악하고, 자신이 배운 바를 적절히 응용함으로써 해당 문제를 해결하는 경험을 제공한다. 이 과정은 일방적으로 지식을 전달하는 교수자가 아닌, 동료들과 함께 토론하며 가장 적합한 문제 해결 방안을 도출하는 학습자가 주도한다.

대학 교육에서 이와 같은 PBL을 선도하는 곳은 미국의 올린 공과대학Franklin W. Olin College of Engineering이다. 올린 공과대학은 사회와 기업에서 필요로 하는 인재를 길러내기 위해 주입식 교육 대신 학생이 직접 관심사를 탐구할 수 있는 교육을 제공한다. 이곳에서 수업의 목적은 학점을 받는 것이 아니라 결과물을 만드는 과정을 경험하는 것이며, 학생들은 자신이 주도하고 싶은 주제를 집중 탐구하여 포트폴리오를 완성한다. 그중에서도 백미는 기업이 의뢰한 문제를 5~6명이 팀을 이뤄 풀어내는 엔지니어링을 위한 시니어 컨설팅 프로그램Senior Capstone Program in Engineering, SCOPE, 바로 스코프이다. 학생들은 1년간 과제를 해결하고 의뢰 기업에게 그 결과를 보고한다. 이 과정에서 학생들은 실질적인 문제 해결 역량를 기르고 현장에서도 통할 만한 실력을 갖추게 된다. 실리콘밸리의 기업들이 올린 공과대학 졸업생들을 앞다투어 채용하는 이유가 바로 여기에 있다.

기업 교육 분야에서는 액션 러닝action learning이라는 이름으로 조직 구성원들의 실질적인 역량을 개발하기 위해 애를 써왔다. 액션 러닝은 실제로 기업이 해결해야 하는 문제에 대해 팀 동료들과 토론하며 해결책을 도출한다. 액션 러닝에서 다루는 '문제'는 기업 내 다양한 업무와 맥락이 얽혀 있는 경우가 많고, 학습 과정의 목표는 바로 실행 가능하거나 유의미한 결과물을 내는 것이다. 문제의 종류는 보고 체계의 혁신이나 사업 전략 수립, 코칭 스킬 습득이나 마케팅 전략의 고도화 등 매우 다양하다. 엄밀한 의미에서 액션 러닝과 PBL은 약간 다른 개념이지만, 일련의 학습 과정을 통해 타인과 상호작용하고 실질적인 문제 해결 과정을 경험할 수 있다는 점에서는 매우 유사하다.

2) 다른 사람들과 함께 배우는 경험의 힘

우리가 주목해야 할 것은 경험이 학습에 효과적인 이유이다. 미국의 행동과학연구소 NTL National Training Laboratory 에 따르면, 일방적인 강의의 학습 효율은 5%에 불과하다. 즉 학습자가 강의를 통해 무언가를 배우고 24시간이 지났을 때, 기억에 남아 있는 학습 내용이 5%라는 것이다. 이러한 학습 효율성은 다른 이들과 의견을 주고받으며 학습했을 때에는 50%, 실제로 직접 해보았을 때에는 75%, 배운 내용을 학습자들끼리 서로 설명했을 때에는 90%까지 치솟는다. 이 세 가지 학습 방법은 모두 학습자의 적극적인 참여와 경험으로 이루어진다는 공통점을 지닌다.

물론 이와 같은 '학습 방법에 따른 학습 효율'은 여러 변수가 존재하기 때문에 수치의 신뢰도가 떨어진다는 비판도 존재한다. 하지만 배운 것을 실제 상황에 적용하거나 타인에게 설명하는 경험은 더욱 입체

● 학습 효과 피라미드

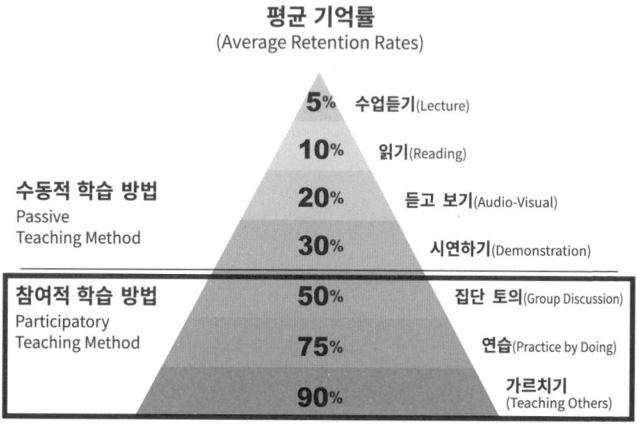

평균 기억률
(Average Retention Rates)

수동적 학습 방법
Passive
Teaching Method

참여적 학습 방법
Participatory
Teaching Method

5%	수업듣기(Lecture)
10%	읽기(Reading)
20%	듣고 보기(Audio-Visual)
30%	시연하기(Demonstration)
50%	집단 토의(Group Discussion)
75%	연습(Practice by Doing)
90%	가르치기(Teaching Others)

출처: NTL

적이고 효과적인 배움으로 이어진다. 실제로 우리는 일터에서 이러한 광경을 매일 마주한다. 스스로 일잘러가 되기 위해서, 또는 새로운 신입 사원이 한 사람 몫을 해낼 수 있도록 하기 위해서는 단순히 지식과 정보를 습득하거나 가르치는 것만으로는 충분하지 않다.

가장 빠른 방법은 직접 해보는 것, 즉 '실천을 통한 배움'이다. 그 과정에서 이루어지는 수많은 상호작용, 다양한 상황과 맥락에서 얻는 경험은 진짜배기 실력을 키워준다. 그중에서 가장 큰 배움이 일어나는 과정은 단연 '배운 내용을 학습자들이 서로 설명할 때'이다. 바로 이것이 '동료'나 '또래' 등 다른 이들과 함께 배우는 피어러닝peer learning 의 힘이다.

피어러닝은 서로가 동등한 위치에서 배움을 주고받는다는 점에서 전통적인 학습과 다르다. PBL 기반의 교육 프로그램에서든, 아니면 업무와 힘겨루기를 하는 일터에서든 어떤 문제를 해결하기 위해 동료와 협력하는 것은 자신의 지식과 경험을 다른 사람과 나누는 것을 의미한다. 그리고 이 과정은 생각하는 방식이나 문제에 접근하는 방식을 확장함으로써 '아는 것'을 넘어 '배우는 것'까지 나아갈 수 있는 동력을 제공한다.

사실 배움에서 경험이 중요하다거나 다른 사람들과의 교류를 통한 학습이 효과적이라는 이야기는 그다지 새롭지 않다. 그러나 오늘날 이러한 담론이 활발해진 이유는 앞서 짚고 넘어갔듯이 단지 지식을 보유하는 것으로는 경쟁력을 키울 수 없는 사회에 접어들었기 때문이다. 이것은 교육이 일터나 현실 세계의 문제 해결에 기여할 수 있어야 한다는 인식과 진짜배기 실력을 기르고자 하는 밀레니얼 세대의 욕구로 이어졌다. 사회나 기업, 그리고 밀레니얼 세대는 모두 실천을 통한 배움과 실행 가능한 역량을 원한다.

《포브스 재팬Forbes Japan》이 꼽은 일본 최고의 스타트업 CEO이자 미탭스Metaps의 창립자, 《내가 미래를 앞서가는 이유》의 저자인 사토 가츠아키佐藤航陽는 "평론가가 되지 말고, 실천가가 되라"라고 말한다. 그는 현대는 '행동하는 사람'이 많은 것을 얻는 시대이며, 실행 없이 이론과 지식에 매몰된 사람은 야구방망이를 쥐어본 적 없는 야구 해설자와 같다고 강조했다. 지식은 얻는 순간 진부해지고, 모든 가설은 참인지 거짓인지 검증할 필요가 있으며, 그 검증을 위해 가장 엄격한 피드백을 주는 곳은 '비즈니스'라는 경기장 안이라는 것이다.

실행하는 것, 실행을 통해 현실을 아는 것이야말로 앞으로 살아남기 위한 비결이다. 그리고 밀레니얼 세대는 그 '실행'이 다른 사람들과의 협업으로 완성되며 이 과정에서 더 큰 역량을 함양할 수 있다는 것을 잘 안다. 여러 차례의 시도와 동료들과 주고받는 배움이 실행력을 길러준다는 것, 이것이야말로 일터에서 얻을 수 있는 가장 큰 경쟁력임을 이해하고 있기 때문이다. 이들은 단편적인 정보나 단조로운 교육을 뛰어넘어 직·간접적인 경험을 갈망한다. 조직이나 시스템에 의존하려 하지 않고 진짜 실력을 기르기 위해 몸부림친다. 그 중심에 '경험'이라는 배움의 과정이 자리하고 있음은 물론이다.

03

에듀테크 :
기술을 통한 학습 경험의 진화

전통적 교육 방식의 한계

'무언가를 배우는 모습'을 상상해보자. 어떤 광경이 펼쳐지는가? 당신은 어디에서, 무엇을 하고 있는가? 각자가 그린 모습은 조금씩 다를 수 있지만, 대부분 한 공간에서, 한 명의 선생님이, 하나의 주제를 '수많은' 학생들에게 가르치는 장면을 떠올릴 것이다. 모든 학생들이 교실에 모여 동일한 교육을 받는다. 이해가 미진한 부분은 복습이나 숙제를 하여 보강한다. 따로 시간을 내어 예습을 하지 않는다면, 학생들은 그다음 날 '처음 맞이하는 새로운 지식'을 '정해진 수업 시간 안에' 습득해야 한다.

이러한 모습이 익숙한 이유는 우리가 이와 같은 공교육 시스템에서 성장했기 때문이다. 교실 중심의 공교육은 분명히 인류 사회의 발전을 이끌었다. 근대 자본주의사회를 열어젖힌 산업혁명을 기점으로 근대 사회는 경제적 혁명을 맞이했다. 이에 따라 사회는 수많은 사람들을 성숙한 사회 구성원이자 평균적이고 안정적인 노동력으로 길러낼 필요가 있었다. 그 역할을 훌륭히 수행해낸 것이 바로 공교육 시스템과 학교였다. 덕분에 인류는 급격한 성장과 경제적 번영을 누릴 수 있었다.

그러나 이런 전통적인 교육 방식은 크게 세 가지 한계를 지닌다. 첫째, 학습자 개개인에게 최적화된 학습을 제공할 수 없다. 정해진 시간에 정해진 장소에서 한 명의 교수자가 동일한 학습 내용을 수많은 학습자에게 일방적으로 전달하는 교육 방식은 한 사람 한 사람의 특성을 담아내기 어렵다. 둘째, 학습 경험을 확장하지 못한다. 교실에서 처음 마주하는 지식을 정해진 시간 안에 머릿속에 일방적으로 입력하는 것은 매우 협소한 학습 경험만을 제공한다. 이는 곧 '지식을 아는 것'에서 '아는 것을 실제 문제에 적용'하는 단계로 나아갈 수 없다는 것을 의미한다. 셋째, 학습자가 배움에 몰입할 수 없다. 학습 수준에 맞지 않거나 흥미와는 상관없는 지식이 전달되는 1차원적인 교육이 이루어지는 상황에서 학습자가 몰입하기는 쉽지 않다. 배움에 몰입할 수 없다면 학습 효과는 미미할 수밖에 없다.

그간 이와 같은 한계점을 극복하려는 노력이 없지는 않았다. 2000년대 초반에는 인터넷과 동영상 기술의 발전을 힘입어 온라인 교육, 즉 이러닝e-Learning이 등장했다. 이러닝은 교육 접근성을 다른 차원으로 끌어올렸지만, 일방적인 지식 전달과 학습 몰입의 한계를 완벽하게 극복할 수는 없었다. 사람들이 이러닝을 접하는 도구가 PC에서 모바일 기기로 확장되었으나 이 문제는 해결되지 않았다. 여전히 학습자들은 배움에 능동적으로 참여할 기회를 갖지 못했고, 자신의 기호나 학습 수준을 고려한 학습 경험을 기대할 수 없었다. 게다가 학습자가 이탈하기 쉬운 이러닝의 특성상 학습을 완전히 끝마치기는 쉽지 않았다.

이러닝의 교육 효과에 대한 의심은 관련 시장 축소로 이어졌다. 글로벌 시장조사기관인 메타리Metaari 역시 2021년까지 세계 이러닝 시장이 6.4% 감소할 것이라는 전망을 내놓았다. 그 이유는 첫째, 가격 경쟁의 심화로 인한 수익성 약화다. 이러닝 시장이 성숙기에 접어들면서 공급 업체들의 제품이나 서비스 간의 차별화가 어려워졌고, 가격 경쟁력의 중요성은 더욱 높아졌다. 이로 인해 경쟁 업체와 신생 업체 간의 가격 경쟁이 격화되면서, 이러닝 기업들의 이윤이 감소했다. 두 번째 이유는 MOOC와 같이 무료 또는 저렴한 비용으로 이용할 수 있는 개방형 교육 자료open education resources가 풍부해졌기 때문이다. 이러한 교육 자원들의 품질은 지속적으로 상향 평준화되고 있으며, 이러닝 수요를 대체하고 있다.

에듀테크의 부상

정보통신기술의 급격한 발전에 따라 부상하고 있는 에듀테크EduTech는 이러한 한계를 극복할 수 있는 구원자로 각광 받고 있다. 에듀테크는 인공지능artificial intelligence, AI, 가상현실virtual reality, VR, 증강현실augmented reality, AR, 빅데이터bigdata, 클라우드cloud 등 고차원 기술과의 융합을 통해 새로운 학습 경험을 제공한다. 높은 기대치에 힘입어 에듀테크는 2016년, 세계 최대 가전 전시회인 CESConsumer Electronics Show에서 지능형 자동차, 핀테크fintech, 공유경제 등과 함께 열두 가지 미래 기술 중 하나로 꼽혔다. 나날이 발전하는 기술의 쇼케이스로 평가받는 CES에서 이목을 끌었다는 점 하나만으로도 에듀테크의 성장 가능성은 매우 크다. 에듀테크가 이 시대의 종이이자 펜이고, 배움을 확장할 수 있는 렌즈가 될 것으로 보인다.

이러한 전망에 걸맞게 에듀테크의 시장 규모는 폭발적으로 성장하고 있다. 시장조사기관인 홀론IQHolon IQ에 따르면, 글로벌 에듀테크 시장규모는 2018년에 약 1,520억 달러였고 2025년에는 약 3,420억 달러로 성장할 것이다. 이 기간 동안 AR/VR 분야는 32.05%, 인공지능 분야는 33.67%, 로봇 분야는 13.22%, 블록체인 분야는 29.17% 성장할 것으로 보인다.

새로운 시대의 새로운 교육 패러다임으로 떠오른 에듀테크는 매우 광범위한 영역에서, 다양한 방식으로 배움의 방식을 바꾸고 있다. 이는

● 글로벌 에듀테크 시장 규모

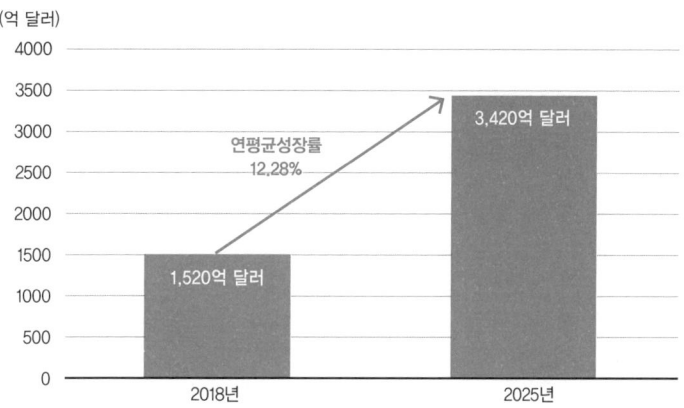

출처: 홀론IQ

● 에듀테크 분야별 시장 규모

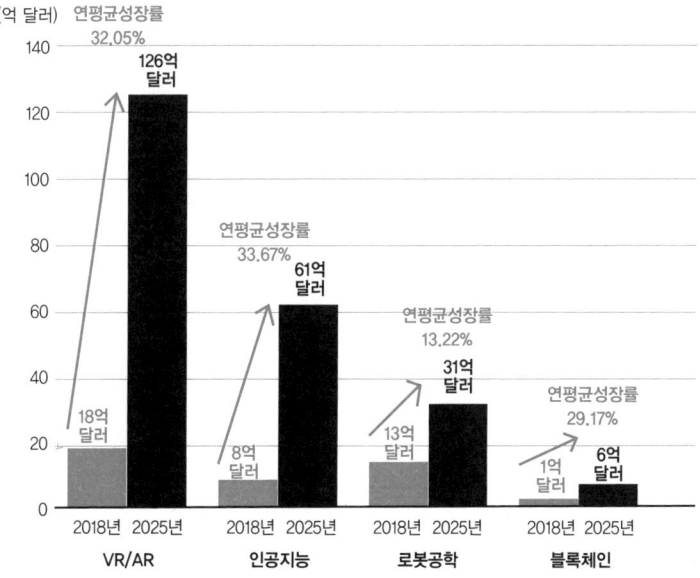

출처: 홀론IQ

디지털 네이티브인 밀레니얼 세대에게 지대한 영향을 끼친다. 또한 기술의 힘을 빌려 방대한 학습 데이터를 분석하고 개인 맞춤형 학습을 제공할 수 있다는 점, 더 입체적인 학습 경험을 제공할 수 있다는 점, 누구나 자신의 지식과 경험을 다른 이들과 공유할 수 있는 환경이 갖추어졌다는 점, 밀레니얼 세대가 기술 친화적이라는 점은 에듀테크의 장밋빛 미래를 점치는 데 충분하다.

이러한 에듀테크가 교육을 구원할 구세주인지, 높은 기대치만큼 시장 확대의 잠재력이 만개할 것인지에 대해서는 여러 의견이 존재한다. 다만 분명한 사실은 이러한 변화가 전통적인 교육의 한계 극복과 혁신으로 이어지고 있다는 것이다. 그중에서도 인공지능 기술을 통해 개인 맞춤형 학습을 실현하는 어댑티브러닝adaptive learning, 가상현실 또는 증강현실을 통해 실제로 마주할 문제 상황을 경험하고 학습 내용을 적용해볼 수 있는 VR/AR러닝virtual reality/augmented reality learning, 타인과 상호작용하며 학습하는 소셜러닝social learning은 에듀테크를 이끌고 갈 기수로 평가받고 있다.

1) 개인에게 최적화된 학습을 제공한다 - 어댑티브러닝

사회가 '개인'에 관심을 기울이기 시작한 것은 그리 오래되지 않았다. 이전에는 마케팅이나 미디어에서도 개인은 '대중을 구성하는 1인' 정도로 인식되었다. 이에 따라 기업은 고객을 임의로 몇 개의 집단으로 분류한 후 각 집단의 특성에 맞는 마케팅 메시지를 전달했다. 미디어 역시 'TV라는 매체가 거의 독점하던' 시대에는 동일한 시간에 동일한 뉴스와 콘텐츠를 시청자에게 전달했다. 오프라인 매장은 인기가 많은 제품만 진열하고 나머지는 창고에 쌓아두기 일쑤였다. 획일화된 기호를 전달해도 막대한 이윤을 얻을 수 있었기 때문이다.

그러나 오늘날에는 대중이 아닌, 다양한 개인의 가치관과 관심사를 충족하려는 서비스가 많아졌다. 개인은 자신의 취향을 적극적으로 드러내고, 공급자들은 그 취향에 최적화된 상품과 서비스를 제공하기 위해 애를 쓴다. 소비자들은 오프라인 매장에 진열되지 않는 비주류 제품도 온라인 검색을 통해 쉽게 구매할 수 있다. 다양한 주제를 다루기보다 특정 주제를 집중적으로 파고드는 미디어 또는 플랫폼이 급증한 것도 이런 흐름에 기인한다.

이와 같은 변화가 가능했던 원인은 인터넷의 등장과 소셜 미디어의 진화로 인해 등장한, 과거에 비할 수 없을 만큼 다양한 유통 채널이다. 사람들은 기술의 힘을 빌려서 TV 매체를 넘어선 다양한 정보에 쉽게 접근할 수 있게 되었고, 똑똑해진 소비자들은 수많은 상품과 서비스를 비교 분석하며 구매를 결정한다. 모든 것이 연결되어 있는 디지털 시대에 사람들은 수많은 데이터를 남기며, 기업은 다시 이 데이터를 분석하여 개개인을 속속들이 이해하고 맞춤형 서비스를 제공하는 개인화 personalization 를 실현하고 있다.

이러한 흐름에서 배움 역시 비켜 있을 리 없다. 과거에는 고유한 특성을 가진 개인을 표준화한 뒤, '평균적 인간'에게 맞는 '평균적 교육'을 제공했다. '평균적 인간'이라는 개념은 근대 통계학을 확립한 벨기에의 통계학자, 아돌프 케틀레Adolphe Quetelet가 구체화했다. 그는 키, 체중, 가슴둘레 등의 신체적 특징은 물론이고, 결혼 연령, 사망 연령, 연간 출산 건수 등 사회적 수치까지 닥치는 대로 평균을 낸 끝에 '평균적 인간상'을 제시했다. 그리고는 평균적인 인간이야말로 완벽하며, 평균을 벗어나는 인간은 열등한 존재라고 보았다. 이른바 '평균주의'는 이렇게 시작되었다.

효율성의 신봉자, 프레더릭 테일러Frederick Taylor는 평균주의에 기초한 '과학적 관리법'을 제창했다. 그는 "과거에는 인간이 최우선이었다면 미래에는 시스템이 최우선이 되어야 한다"라고 선언했고, 이 믿음에 따라 개인은 시스템에 맞춰 평균화되어야 한다고 주장했다. 그 결과 '표준화'라는 개념이 탄생했다.

교육심리학자 에드워드 손다이크Edward Thorndike는 여기서 더 나아가 교육 시스템의 표준화를 이끌었다. '학점'이 탄생했고, 획일화된 교육과정이 도입되면서 표준화된 시험을 통해 동일한 잣대로 학생들을 평가한 뒤 등급을 매기기 시작했다. 대부분의 교육은 학교 교실에서, 한 명의 교수자가 다수의 학습자에게 일괄적으로 지식을 전달하는 방식으로 이루어졌다.

시간이 흐르고 개인의 가치와 개성을 중요시하는 시대가 도래했다. 이제 평균주의는 산업화 시대에나 유효했던 논리로 취급받을 뿐이다. 하지만 전통적인 교육 방식, 즉 한 공간에 모여서 일대다로 이루어지는 교육은 여전히 강력한 존재감을 내뿜고 있다. 교육이 오랜 시간 동안 이를 완벽하게 탈피하지 못한 것은 그 방법이 가장 효율적이었기 때문이다. 모든 사람은 고유한 특성을 가지지만, 한 명의 교수자가 여러 학습자 각각의 학습 수준, 흥미와 기호, 몰입 수준 등을 면밀히 파악하기란 불가능에 가깝다. 그렇기 때문에 교육의 개인화, 즉 개인 맞춤형 학습personalized learning은 이상적인 목표로만 존재했다.

개인 맞춤형 학습이 학습자 개개인의 특성을 오롯이 담아내고 궁극의 학습 효과를 기대할 수 있는 교육 방법론이라는 점은 분명하다. 이에 따라 빅데이터와 인공지능 기술의 힘을 빌려 인적·시간적 자원의 제약을 극복하고 개인 맞춤형 학습을 실현하는 어댑티브러닝이 대두했다. 어댑티브러닝은 학습자 개개인의 학습 데이터를 수집하여 현재의 학습 수준과 학습 방식을 분석하고, 이에 따라 개인에게 최적화된 콘텐츠와 학습 경험을 제공한다.

토익을 공부하는 취업 준비생 C의 사례를 통해 어댑티브러닝을 이해해보자. C는 모바일 애플리케이션(이하 앱)으로 토익 문제를 풀고 있다. 처음 제시된 문제는 정답이 무엇인지 알 수 없었고, 한참을 고민한 후 답을 골랐지만 오답이었다. 해설을 꼼꼼하게 읽어본 후 다음 문제로 넘어간 C는 충분히 이해하고 있는 내용을 다룬 문제 몇 개를 연달아 빠르게 풀었다. 그러다가 마지막 문제에서 이미 알고 있던 내용을 착각하여 다른 답을 입력해버렸다. 해설은 자세히 읽지 않았다.

C가 학습에 이용하고 있는 모바일 앱은 문제의 유형, 문제를 푸는

● 간소화한 어댑티브러닝 모델

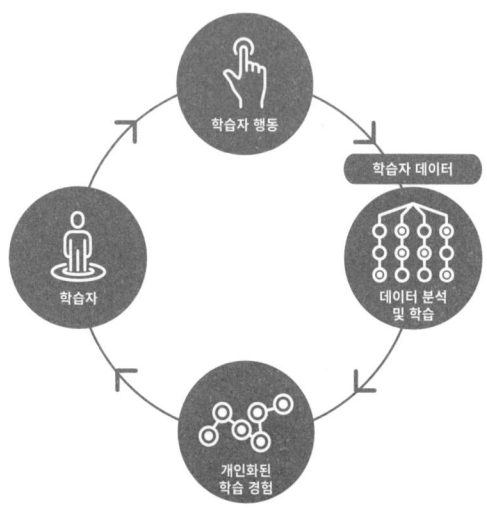

데 걸린 시간, 난이도, 정답 여부, 해설을 읽은 시간, 해설을 다시 열람한 횟수 등의 세세한 데이터를 광범위하게 수집한다. 그리고 이를 토대로 C의 학습 수준을 분석하고, 이미 잘 알고 있는 부분 대신 이해가 미진한 영역을 집중적으로 학습할 수 있는 맞춤형 문제를 제공한다. C가 원하면 심화 학습을 할 수 있도록 적절한 참고 자료를 제시하는 것은 덤이다. C가 자신에게 최적화된 학습을 할 수 있도록 실시간으로 커리큘럼을 조정하거나 참고 자료를 추천하는 것이다.

이런 맞춤 서비스가 가능한 이유는 첫째, 학습자의 행동 데이터를 수집하는 기술이 발전했기 때문이고, 둘째, 인공지능의 발전으로 수집된 데이터를 분석하여 학습 패턴을 추출할 수 있게 되었기 때문이다. 그렇다면 이 두 가지 핵심 기술은 어떻게 어댑티브러닝의 실현에 기여하고 있을까?

① 학습자의 행동 데이터를 추적하고 저장하는 xAPI & LRS

당신이 평소에 자주 이용하는 IT 전문매체 웹사이트에 접속했다고 가정해보자. 당신은 관심 있는 기사를 읽기 위해 스크롤을 내린다. 그때 갑자기 평소에 유심히 봐두었던 쇼핑 아이템 광고가 등장한다. 기사를 모두 읽은 당신은 미국 프로농구의 팬들이 활동하는 온라인 커뮤니티에 접속한다. 커뮤니티의 이곳저곳을 돌아다니던 당신은 아까 발견했던 광고를 또다시 마주한다. 쇼핑에 관심이 없는 사람이라도 이런 상황을 상상하기가 어렵지는 않을 것이다.

'광고가 나를 따라다니는 것처럼' 느껴지는 이유는 사용자의 행동 패턴에 맞추어 광고를 노출하기 때문이다. 이를 가능하게 해주는 것은 디지털 기술을 이용한 광고 기법, 즉 애드테크AdTech이다. 애드테크는 사용자의 행동 데이터를 취합하고, 축적하고, 분석하여 개개인에게 맞춤형 광고를 전달한다. 사용자가 온라인에 접속하는 기기, 사용하는 브라우저, 접속 시간, 체류 시간, 결제에 사용하는 카드, 결제 내역 등의 데이터를 토대로 사용자가 어떤 상품에 관심을 가지고 있는지, 또 구매 가능성은 얼마나 높은지 예측하는 것이다.

에듀테크 역시 학습자의 '행동'에 주목한다. 소수의 교수자와 다수의 학습자가 함께하는 오프라인 학습에서는 학습자가 생성하는 광범위한 데이터를 취합할 방법이 없다. 그러나 오늘날에는 시험 점수와 같은 단편적인 데이터를 넘어 학습자의 행동에 대한 다양한 데이터를 취합할 수 있게 되었다. 개인 맞춤형 광고를 집행하기 위해서 사용자의 행동 데이터가 필요한 것처럼, 어댑티브러닝을 통해 개인 맞춤형 학습을 실현하기 위해서는 학습자의 행동 데이터가 필요하다. 이 데이터들을 추적할 수 있도록 해주는 것이 새롭게 떠오르고 있는 xAPI Experience API 와 LRS Learning Record Store 이다.

'xAPI'는 경험을 의미하는 'experience'와 서로 다른 두 가지 소프트웨어나 응용 프로그램, 또는 플랫폼이 서로 정보를 교환할 수 있도록 정해진 데이터 형식이나 규칙을 의미하는 API Application Programming Interface 의 합성어이다. 여기서 경험이란 학습 경험을 말하며, 학습자의 행동 데이터는 '주어+동사+목적어' 형태로 취합된다. 즉 '직장인 D가 마케팅 기사를 읽었다', '취업 준비생 E가 유튜브 영상을 재생했다'와 같이 서로 다른 환경에서 발생한 학습 경험의 데이터를 저장, 추적, 분석 가능한 표준화된 형태로 전환하는 것이다.

xAPI 데이터는 LRS에 저장된다. 이렇게 실시간으로 수집되는 학습 행동 데이터를 다각도에서 분석하면, 우리는 어떤 콘텐츠가 학습자에게 가장 유용한지, 학습자들이 선호하는 콘텐츠 형식과 플랫폼이 무엇인지, 어떤 학습 경로가 가장 효과적인지 파악할 수 있다.

이런 시스템은 다양한 채널에서 다채로운 학습 경험을 얻는 밀레니

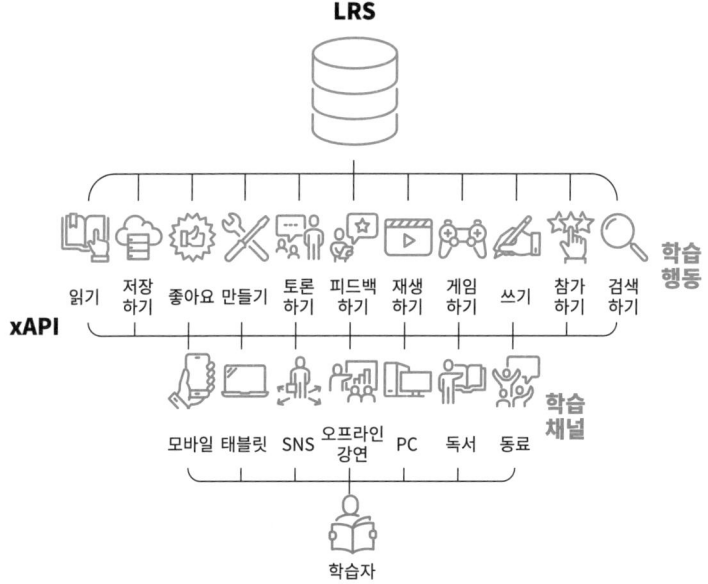

● 학습 경험을 추적 · 저장하는 xAPI & LRS

LRS

읽기　저장하기　좋아요　만들기　토론하기　피드백하기　재생하기　게임하기　쓰기　참가하기　검색하기　**학습 행동**

xAPI

모바일　태블릿　SNS　오프라인 강연　PC　독서　동료　**학습 채널**

학습자

출처: 오영주

얼 세대에게 매우 유용하다. 앞서 언급했듯이 밀레니얼 세대는 구글 검색, 유튜브 영상, SNS나 블로그, 이북e-book, 독서 모임이나 컨퍼런스, 유료 구독 디지털 리포트나 팟캐스트 등을 통해 자신에게 필요한 지식을 습득한다. 이 모든 학습 경험을 추적하고 표준화된 데이터로 저장할 수 있다면 요즘 직장인들이 원하는 가치 있는 교육으로 이어질 것이다.

②최적화된 학습 경험을 실현하는 학습 분석

xAPI와 LRS를 통해 축적된 학습 행동 데이터들은 너무 방대하기 때문에 사람이 직접 분석하기는 어렵다. 하지만 기술로는 가능하다. 특히 머신러닝 기술은 인간과는 비교할 수 없을 정도로 빠르게 정보를 처리해서 스스로 규칙과 패턴을 추출할 수 있다.

사실 학습 행동 데이터를 저장하기만 해서는 아무런 일도 일어나지 않는다. 그 다음 단계로 나아가기 위해서는 학습 데이터들 간의 연계성을 발견하고, 학습자의 학습 패턴과 개인 맞춤형 학습을 제공하기 위한 적용점을 도출해야 한다. 학습자가 생성하는 산발적인 학습 경험 데이터들을 수집하고, 분석하고, 적용하는 학습 분석learning analytics 이 이것을 가능하게 해준다.

이러한 학습 분석의 첫 번째 이점은 개인 맞춤형 학습을 지원한다는 것이다. 학습 분석은 학습 성과에 대한 기본적인 정보는 물론 학습 활동 전반에 관련된 데이터를 수면 위로 끄집어낼 수 있다. 이 분석 결과를 학습 플랫폼에 적용하면 학습자가 미진한 부분을 집중적으로 학습할 수 있도록 도울 수 있고, 학습자가 가장 선호하는 학습 방식을 추천할 수 있다. 학습자의 관심사에 기초해 학습 콘텐츠를 제공하거나 학습자의 수준을 고려하여 커리큘럼을 조정할 수도 있다. 즉 학습 분석은 개인에게 최적화된 학습 경험을 제공하기 위한 근간이 된다.

학습 분석의 두 번째 이점은 자기 조절 학습self-regulated learning 을 촉진한다는 것이다. 시각화한 학습 분석의 결과를 학습자에게 제공함으로

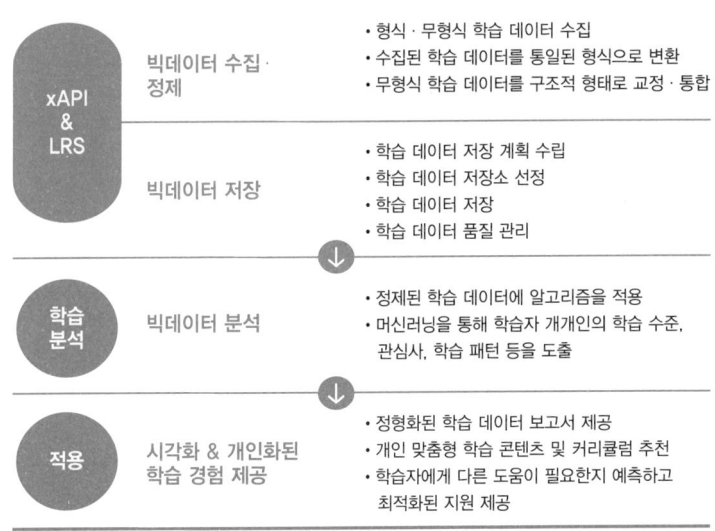

● 간소화한 학습 분석 작업 절차

xAPI & LRS	빅데이터 수집·정제	• 형식·무형식 학습 데이터 수집 • 수집된 학습 데이터를 통일된 형식으로 변환 • 무형식 학습 데이터를 구조적 형태로 교정·통합
	빅데이터 저장	• 학습 데이터 저장 계획 수립 • 학습 데이터 저장소 선정 • 학습 데이터 저장 • 학습 데이터 품질 관리
학습 분석	빅데이터 분석	• 정제된 학습 데이터에 알고리즘을 적용 • 머신러닝을 통해 학습자 개개인의 학습 수준, 관심사, 학습 패턴 등을 도출
적용	시각화 & 개인화된 학습 경험 제공	• 정형화된 학습 데이터 보고서 제공 • 개인 맞춤형 학습 콘텐츠 및 커리큘럼 추천 • 학습자에게 다른 도움이 필요한지 예측하고 최적화된 지원 제공

출처 : K-ICT 클라우드 혁신센터의 자료를 기반으로 재구성

써 학습자 자신이 얼마나 잘하고 있는지, 다음 단계로 나아가기 위해 무엇을 해야 하는지를 쉽게 확인할 수 있도록 돕는다. 이 과정을 통해 학습자는 스스로에게 학습 동기를 부여하고, 능동적으로 학습 관리를 할 수 있다.

학습 분석의 세 번째 이점은 다양한 학습 경험이 '진짜배기 실력' 향상에 얼마나 기여했는지 살펴볼 수 있다는 것이다. xAPI를 통해 취합되는 학습 데이터는 학습자가 어떤 기사를 검색했는지, 어떤 영상을 재생했는지뿐만 아니라 어떤 이북을 읽었고 어떤 모임에 참석했으며, 사람들과 어떤 커뮤니케이션 했는지까지 아우른다. 이러한 광범위한 데이터와 학교에서의 학습 성과나 일터에서 창출하는 성과 간의 상관관계를 발견할 수 있다면, 평소에 본받고 싶었던 업계의 롤모델이나 직장 동료가 주로 어떻게 지식을 습득하는지를 알 수 있다면 어떨까? 물론 이런 데이터를 확보하는 것은 말처럼 쉬운 일은 아니지만, 이것이 가능하다면 우리는 어떤 학습 방식이 개개인의 역량을 개발하는 데 가장 효과적인지 파악할 수 있을 것이다.

다소 복잡한 내용인데 지면을 할애하여 자세히 설명한 이유는 우리가 유튜브나 넷플릭스와 같이 일상에서 마주하는 개인화된 서비스 기저에는 고도화된 기술이 깔려 있다는 것을 짚고 넘어가기 위해서다. 밀레니얼 세대의 학습 경험이라고 예외일 수 없다. 끊임없이 학습하는 인간이자 적극적이고 주체적인 학습자인 밀레니얼 직장인들은 다양한 채널을 통해 관심 있는 주제를 선호하는 방식으로 학습하고 싶어 한다. 그리고 이들에게 제공되는 다채로운 학습 콘텐츠와 서비스는 대부분 개인화와 어댑티브러닝을 지향한다.

물론 언제나 새로운 기술은 그 자체로 완벽할 수는 없다. 어댑티브러닝은 아직 증명해야 할 것이 많으며, 이를 완전하게 구현한다고 자신할 수 있는 교육기관은 많지 않다. 그러나 이러한 키워드가 부상하는 것은 큰 변화를 앞두고 있다는 의미이다. 여러 걱정거리가 있다고 한들, 그것이 어댑티브러닝이 지닌 잠재력을 부정하는 근거가 될 수는 없다.

2) 가상현실로 월마트 직원을 교육한다고? - VR/AR러닝

2014년, 세계 최대의 SNS 서비스를 제공하는 페이스북Facebook은 가상현실 하드웨어와 소프트웨어를 개발하는 기술 기업인 오큘러스 VROculus VR을 23억 달러에 인수했다. 이를 두고 페이스북의 창립자이자 CEO인 마크 저커버그Mark Zuckerberg는 "가상현실은 공상과학소설에 등장하던 꿈이었다. 하지만 인터넷도 한때 꿈이었고 컴퓨터와 스마트폰도 그랬다. 미래는 다가오고 있으며, 우리는 그 미래를 함께 만들어나갈 기회를 얻게 되었다"라고 언급했다. 그는 가상현실이 지닌 가치를 믿고 미래를 위해 거금을 투자한 것이다.

그리고 2015년, 페이스북의 CPOChief Product Officer인 크리스 콕스Chiris Cox는 칸 국제광고제Cannes Lions에서 "우리는 텍스트에서 사진에, 사진에서 비디오에 이르렀고, 다음은 VR과 AR이다"라고 강조했다. VR과 AR의 미래에 대한 전망은 연일 미디어를 뒤덮지만, 마크 저커버그와 크리스 콕스의 짧은 문장만으로도 이 두 기술이 지닌 가능성을 충분히 가늠할 수 있다.

VR이란 컴퓨터 모델링을 통해 실제 현실과 유사한 환경이나 상황을 가상으로 구축하고, 이와 같은 '가상현실'에서 사용자가 상호작용할 수 있도록 돕는 기술이다. VR 게임장을 떠올려보면 이해하기 쉽다. VR 게임 플레이어는 헤드셋을 비롯한 VR 기기를 착용하고, 가상현실에 접속하여 놀이기구를 타거나 레이싱을 즐길 수 있다. 가상의 괴물에 총을 발사하고, 복싱 시합에 참가하며, 강에서 보트를 탈 수도 있다. 이러한 입체적인 경험을 통해 플레이어는 스스로 '실제 상황'에 처해 있다고 느끼고, 더 큰 현실감과 몰입감을 느낄 수 있다.

증강현실은 컴퓨터 모델링을 통해 구성한 물체나 텍스트, 영상과 같은 가상의 사물을 현실 세계와 겹쳐 보이게끔 만드는 기술이다. 전 세계에서 2억 명이 이미 경험한 AR카메라 앱, 스노우snow를 사용해본 사람이라면 그리 낯설지 않을 것이다. 카메라 앱을 실행하고 사용자의 얼굴을 비추면 우스꽝스러운 장식이나 가면 등이 나타나 얼굴을 꾸며준다. 2017년 등장해 세계를 강타했던 포켓몬고Pokémon GO 역시 AR 기술을 활용한 게임이다. 포켓몬고 앱을 실행한 뒤 카메라로 현실 세계를 비추면 도로나 건물, 잔디나 물건 위에 가상의 포켓몬이 등장한다. 이러한 AR은 모바일 기기 이외에 별다른 장치가 필요 없고, 가상의 사물을 현실 세계에 덧씌운다는 점에서 VR과 다르다.

이 두 기술을 구현하기 위한 비용이 낮아지면서 VR/AR 시장이 크게 성장할 것이라는 전망이 지배적이다. 글로벌 시장조사기관인 IDCInternational Data Corporation는 전 세계 VR/AR 시장은 2019년 105억 달러에서 2020년 188억 달러까지 성장할 것이라고 전망했다. 또한 2019년부터 2023년까지 이 시장은 연평균 77%의 성장률을 보일 것이고 공공 영역보다는 상업적 활용이 VR/AR 시장을 주도할 것이라고 한다.

한국 역시 사정이 별로 다르지 않다. 한국가상증강현실산업협회 KoVRA에 따르면 한국의 VR/AR 시장 규모는 2020년 5조7,271억 원에 이른다. 이는 2013년부터 2020년까지 연평균성장률 42.9%에 달하

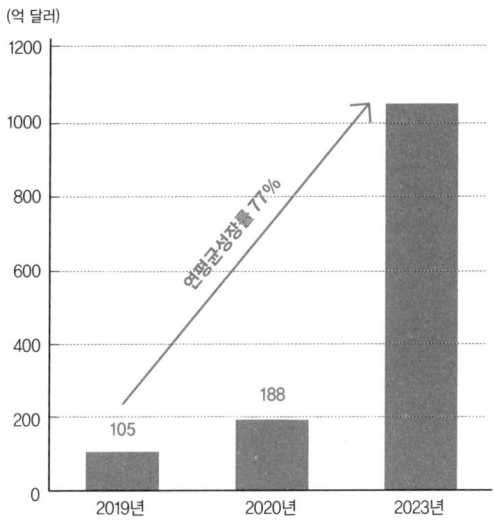

● 글로벌 VR/AR 시장 규모

(억 달러)

연평균성장률 77%

	2019년	2020년	2023년
	105	188	

출처: IDC

는 수치이다. 이러한 흐름에 발맞추어 SKT나 KT와 같은 통신사가 VR/AR 관련 서비스를 속속 런칭하고 있고, 한국 정부 역시 2020년에만 총 1,900억 원을 투입할 것이라 밝혔다. 조만간 이 새로운 기술이 만개할 만한 토양이 마련될 것이다.

이러한 VR/AR은 인간의 감각을 자극하고 실제와 유사한 경험을 확장한다는 측면에서 확장현실extended reality이라고 불린다. '경험을 확장'한다는 점은 이 기술이 배움의 진화를 이끄는 핵심 요인이다. 텍스트나 이미지, 비디오는 모두 훌륭한 학습 자원이지만 학습자가 그 내용을 '실제로 체험'하는 데에는 한계가 있다. 그러나 이 기술을 적절히 활용한다면 학습자는 실제 환경과 유사한 가상 환경에서 자신이 배운 것을 적용하는 경험을 할 수 있다. 우리가 앞서 살펴본 바와 같이, 경험보다 깊은 배움은 없고 실제로 해보는 것만큼 효과적인 학습은 없다. VR/AR 기술을 활용한 VR/AR러닝이 주목받는 이유가 바로 여기에 있다.

VR/AR러닝에 큰 관심을 보이는 분야는 단연 기업 교육이다. 조직 구성원들이 실제 직무 상황을 경험하고 '진짜배기 실력'을 키우는 데 이만한 방법이 없기 때문이다. 특히 예상하기 어려운 변수가 발생하는 현장직 교육에는 VR/AR러닝이 매우 효과적일 수 있다.

실제로 미국 최대의 유통기업 월마트Walmart는 직원들이 공휴일이나 블랙프라이데이Black Friday 등 매장이 매우 혼잡한 상황에 대응할 수 있는 역량을 갖추기를 원했다. 이 목표를 달성할 수 있는 방법을 오랫동안 고심했는데, 이러한 역량은 단순히 매뉴얼을 읽는다고 향상되지 않기 때문이다. 가장 효과적인 방법은 '직접 겪어보는 것'이지만, 월마트는 그러한 상황이 닥치기 전에 종업원들을 훈련하고 싶었다. 그러나 매장으로 몰려오는 수많은 고객들, 쏟아지는 질문과 요청들을 교육 프로그램에 녹여내기란 매우 어려운 일이었다.

북미 지역에서 VR러닝을 선도하고 있는 스트라이버STRIVR은 이러한 월마트의 니즈를 충족시키기 위한 교육 솔루션을 개발했다. 이들은 가상현실에 월마트 매장을 완벽하게 구현하고, 학습자들이 이 공간에서 적절한 교육을 받을 수 있는 프로그램을 제공했다. 이를 통해 학습자들은 실제와 유사한 상황을 경험하는 것은 물론 배운 내용을 적용해봄으로써 큰 학습 효과를 얻을 수 있었다. 이러한 결과에 고무된 월마트는 14만 명에 이르는 직원들을 교육시키기 위해 이 프로그램을 200개에 달하는 월마트 아카데미Walmart Academy에 보급하기로 결정했다. 기업 교육 분야에서의 괄목할 만한 성과에 힘입어 스트라이버은 2020년에 약 3,000만 달러 규모의 후속 투자를 유치했다.

AR러닝 역시 큰 기대를 받고 있다. 반도체 제조업체인 글로벌파운 드리GlobalFoundries는 사물인터넷Internet of Things, IoT 분야의 글로벌 리더로 성장한 PTCParametric Technology Corporation가 개발한 AR 소프트웨어를 활용해서 AR러닝을 도입했다. 글로벌파운드리는 냉각기 정비 등의 공장 작업을 녹화한 뒤, 이를 초보 엔지니어를 교육하는 데 활용한다. 녹화된 작업 영상이나 작업 가이드는 편집을 거쳐 엔지니어가 착용한 AR 전용 장비인 리얼웨어헤드셋RealWear headset을 통해 재생된다. 엔지니어들은 현장에서 무언가를 확인하기 위해 모바일 화면을 들여다볼 필요 없이 눈앞에 제공되는 정보들을 적절히 참고하여 실습을 하거나 작업을 수행한다. 글로벌파운드리는 이 기술을 적용하면서 캠코더를 이용하던 과거보다 작업 속도가 열 배 빨라졌으며, 교육 시간 역시 절반으로 단축했다고 밝혔다.

여기서 더 나아가 글로벌파운드리는 엔지니어의 원격 지원에 AR 기술을 활용하고 있다. 엔지니어는 리얼웨어헤드셋을 통해 자신의 작업을 라이브 영상으로 다른 엔지니어에게 전송하거나 지시할 수 있다. 이 영상을 받아 보는 엔지니어는 이 과정을 통해 작업을 원활하게 수행할 수 있고, 그 과정에서 학습이 이루어진다. 글로벌파운드리는 이 상호작용을 녹화하여 또 다른 학습 자원으로 활용한다. AR 기술의 힘을 빌려 매우 효과적인 무형식 학습을 수행하는 것이다.

VR/AR러닝은 일종의 '경험 학습'을 실현한다. 학습자들은 텍스트나 이미지, 영상에서는 마주할 수 없었던 '실제 상황'을 겪어볼 수 있고, 맥락을 파악하여 자신의 지식을 적용하는 경험을 할 수 있다. 이 과정에서 학습자는 같은 가상공간에 접속했거나 AR 기기를 통해 연결되어 있는 다른 이들과 교류하고 협력하여 문제를 해결할 수도 있다. 이 과정에서 직무 관련 지식 및 그 활용 방법과 함께 일머리를 배울 수 있음은 물론이다.

VR/AR러닝이 각광을 받는 까닭은 이뿐만이 아니다. 기술의 도움 없이 실제 상황을 재구성하는 것보다 훨씬 적은 비용으로 훈련을 제공할 수 있다는 점, 직장인들이 더 안전한 상황에서 더 효과적으로 배울 수 있다는 점, 실제 상황에서 발생할 수 있는 실수와 손해를 최소화할 수 있다는 점도 큰몫을 하고 있다. 이 때문에 IDC는 2023년까지 VR/AR러닝 시장이 80억 달러 규모로 성장할 것이라는 전망을 내놓기도 했다.

또한 VR/AR러닝이 학습 빅데이터 또는 어댑티브러닝과 결합했을 때의 시너지 효과는 매우 크다. VR/AR러닝을 경험하는 학습자의 행동을 실시간 데이터로 축적하고 분석할 수 있기 때문이다. 스트라이버의 CSO Chief Science Officer 인 마이클 카살리 Michael Casale 역시 VR의 1차적인 이점은 지금까지 객관적이고 체계적으로 포착할 수 없었던 순간적인 행동을 실시간으로 측정할 수 있게 된 것이라고 강조했다. 이렇게 취합된 데이터에 인공지능 알고리즘을 적용하면 개개인에게 최적화된 몰입 경험을 제공할 수 있다는 것이다. 그는 이 과정이 궁극적으로 현실에서 행동의 변화를 일으킬 수 있는 가장 효과적인 방법이라고 평가한다.

VR/AR러닝이 밀레니얼 세대만을 위한 교육 방법론은 아니다. 그러나 밀레니얼 세대는 '자동화로 인한 일자리 충격을 오롯이 흡수하는 첫 세대'이자 '고도로 발전한 에듀테크의 혜택을 누리는 첫 세대'가 될 가능성이 높다. 이 새로운 세대의 일터, 즉 기업이 에듀테크를 활용한 교육을 도입하고 있기 때문이다. 따라서 VR/AR러닝은 단순히 '색다른 학습 방법'이 아닌, 가장 빠르고 효과적으로 진짜배기 실력을 키울 수 있는 방법으로 자리 잡을 가능성이 높다.

3) SNS가 나를 가르친다 - 소셜러닝

영국의 교육컨설팅기관인 C4LPTCentre for Learning & Performance Technologies 의 창립자 제인 하트Jane Hart 는 매년 교육 및 학습 관련 분야의 전문가들을 대상으로 '학습에 도움이 되는 도구'에 대한 설문 조사를 하고 그 순위를 발표한다. 이 프로젝트는 2007년에 시작했으며, 2015년까지 상위 100개의 도구를 선발한 데 이어 10년 차였던 2016년부터는 200개의 순위를 선정하고 있다. 이는 개인이 자기 계발이나 학습을 위해 활용하는 디지털 도구 순위인 PPL 100Top 100 Tools for Personal & Professional Learning, 직장에서 학습을 설계하고 전달하고 지원하는 데 사용하는 디지털 도구 순위인 WPL 100 Top 100 Tools for Workplace Learning, 대학에서 활용하는 디지털 도구 순위인 EDU 100 Top 100 Tools for Higher Education를 합산하여 선정한다.

주목해야 할 부분은 이 조사에서 높은 순위를 차지하고 있는 대부분의 서비스가 다른 사람들과 정보와 의견을 공유하는 사회적 상호작용을 기반으로 한다는 점이다. 이는 누구나 영상을 업로드하고 공유하는 유튜브, 누구나 자유롭게 글을 쓸 수 있는 온라인 백과사전 위키피디아Wikipedia, 누구나 공개된 정보를 검색하고 접근할 수 있는 구글 검색, 누구나 쉽게 블로그를 개설하고 정보를 생산하여 게재할 수 있는 워드프레스WordPress, 누구나 다른 사람들과 관계를 맺고 교류할 수 있는 트위터Twitter와 링크드인LinkedIn, 누구나 파일을 공유하고 다른 사람들과 협업할 때 활용할 수 있는 구글 문서도구Google Docs와 구글 드라이브Goolge Drive를 아우른다.

실제로 요즘 직장인들은 무언가를 배우기 위해 이와 같은 서비스들을 적극적으로 활용한다. 웹 검색이나 유튜브 또는 블로그를 통해 필요한 지식에 접근하기도 하고, 페이스북이나 링크드인에서 다른 사람들이 작성하거나 공유한 지식을 배우기도 한다. 이와 같이 기술의 힘을 빌려 다른 사람과 교류하고, 누구나 참여하고 공유하고 개방하고 협업하며 배우는 것이 곧 소셜러닝이다.

소셜러닝은 기본적으로 사용자 간 상호작용을 통해 배운다는 점에서 과거의 교육과 다르다. 과거의 교육은 교수자와 학습자의 경계가 분명했지만, 소셜러닝은 그 경계가 모호하고 참여자 모두가 지식을 탐색

- 2019년의 학습 도구 Top 10

순위	순위변동 (전년 대비)	학습 도구	종류	PPL 100	WPL 100
1	=	유튜브(Youtube)	영상 플랫폼	1	3
2	▲1	구글 검색(Google Search)	웹 검색 엔진	2	2
3	▼1	파워포인트(PowerPoint)	프레젠테이션 앱	5	1
4	=	트위터(Twitter)	소셜 네트워크	3	19
5	=	링크드인(LinkedIn)	소셜 네트워크	4	15
6	=	구글 문서도구 & 드라이브 (Google Docs & Drive)	파일 공유 & 협업 앱	6	8
7	=	워드(Word)	문서작업 앱	8	4
8	▲3	위키피디아(Wikipedia)	온라인 백과사전	7	11
9	▼1	워드프레스(WordPress)	블로그 & 웹사이트 플랫폼	10	14
10	=	줌(Zoom)	화상회의 & 웨비나 플랫폼	25	7

출처: C4LPT

하고 공유하고 생산한다. 이 과정에서 참여자, 즉 학습자는 자신이 알고 있는 지식과 정보를 다른 사람들에게 전달하거나 여러 사람들과 의견을 주고받는 사회적 경험을 한다. 이 모든 경험은 앞서 살펴본 학습 효과 피라미드에서 '집단 토의'와 '가르치기'에 해당하는 아주 강력한 학습 과정이다.

비영리 지식 컨퍼런스인 TEDTechnology, Entertainment, Design와 미국의 명문 대학을 중심으로 개방형 온라인 강좌를 제공하는 MOOC를 소셜러닝의 초창기 서비스로 꼽을 수 있다. TED는 세계 각국의 전문가들이 참여하여 대중에게 지식을 전달하는 강좌를 제공해왔다. TED가 강의 영상을 온라인에 무료로 배포하면 이 영상을 접한 사람들이 자국 언어로 번역함으로써 연결과 협업이 이루어졌다.

스탠퍼드대학교Stanford University 컴퓨터과학과의 앤드루 응Andrew Ng과 대프니 콜러Daphne Koller가 공동 창업한 코세라, 스탠퍼드대학교의 서배스천 스런Sebastian Thrun과 데이비드 스테이브스David Stavens와 마이크 소콜스키Mike Sokolsky가 설립한 유다시티, 매사추세츠 공과대학Massachusetts Institute of Technology, MIT과 하버드대학교Harvard University가 합작해 만든 에덱스와 같은 1세대 MOOC도 소셜러닝의 또다른 초기 모델이다. 이 서비스들은 대학에서만 제공되던 전문적인 지식에 모든 사람들이 접근할 수 있도록 도와주었다.

그러나 이러한 형태는 교수자와 학습자의 경계가 모호하고, 누구나 지식을 생산·공유할 수 있으며, 모든 사람들이 상호 교류하며 지식을 재생산하는 오늘날의 소셜러닝 정의와 거리가 있다. 다행히 소셜러닝이 진화를 거듭하면서, 이 학습 방법론을 충실히 구현하기 위한 서비스도 속속 등장했다. 개발자, 디자이너, 창업가, 기획자 등이 영상과 디자인 관련 도구의 사용법과 실무를 직접 강의하는 '린다닷컴Lynda.com'이 대표적이다. 린다 와인먼Lynda Weinman과 브루스 히빈Bruce Heavin이 1995년에 만든 린다닷컴은 새로운 기술을 습득하거나 지식, 정보를 얻으려는 사람들과 이를 가르칠 수 있는 교수자를 연결하는 온라인 동영상 교육 서비스를 시작했다. 각 분야의 전문가나 교수들이 린다닷컴의 동영상 강의 제작에 참여했으며, 사업 초창기부터 어도비Adobe, 애플Apple, 마이크로소프트Microsoft 등의 디지털 도구들을 사용하는 실무 강의에 집중하며 성장했다. 이러한 폭발적인 성장세와 잠재력 덕분에 세계 최대의 비즈니스 전문 SNS인 링크드인은 2015년에 린다닷컴을 15억 달러에 인수했다. 이를 통해 링크드인은 단순히 구직을 위한 SNS가 아닌 경력에 도움이 되는 콘텐츠를 찾는 곳으로 사업 확장을 꾀했고, 이후 링크드인 러닝을 런칭하면서 린다닷컴이 성공적으로 개척하던 기업 교육시장을 더 적극적으로 공략하고 있다.

린다닷컴은 TED나 1세대 MOOC에 비해 '실무 역량을 개발할 수 있는 지식 콘텐츠'를 제공한다는 점, 실무 역량에 대한 지식을 전달할 수 있는 현업의 전문가들이 콘텐츠 제작에 참여한다는 점에서 진보한 소셜러닝이다. 다만 아무나 강좌를 개설할 수 없다는 점, 초창기에 비해 서비스가 고도화되고 기업 교육시장에서 자리를 잡으며 이름값이 높은 이들이 교수자로 참여하고 있다는 점 등을 고려해보았을 때, 린다닷컴이 구현하는 소셜러닝은 다소 제한적이다.

유데미는 여기에서 한발 더 나아가 누구나 선생님이 되고 누구나 학생이 될 수 있는 학습 플랫폼을 지향한다. 유데미는 '당신의 학교The Academy of You'의 줄임말이다. 학위 취득 여부나 경력과 상관없이 누구나 강사가 될 수 있다. 또한 강의 주제나 수강료 책정에도 제한이 없어서 실무 스킬에 대한 강의는 물론 요리나 꽃꽂이 등 다양한 강의가 개설되어 있다. 교수자와 학습자의 경계가 모호한, 누구나 지식의 생산자로 참여할 수 있는 플랫폼인 것이다.

다만 품질이 낮은 강의가 유통되는 것을 막기 위해 유데미는 고화질과 고음질의 영상, 한 강좌의 길이는 30분 이상, 최소 다섯 개 이상의 수업으로 구성해야 한다는 식의 가이드라인을 둔다. 또한 강사는 본강의를 올리기 전에 1~3분짜리 시범 영상을 제작해서 유데미에 제출해야 한다. 이러한 진입 장벽에도 불구하고 유데미는 소셜러닝을 훌륭히 구현해낸 사례로 평가받는다.

단, 오늘날의 소셜러닝은 단순히 '여러 사람이 참여하는 학습 플랫폼'을 의미하지는 않는다. 앞서 언급했듯이 소셜러닝의 핵심은 사회적 상호작용에 있으며, 이러한 학습 경험을 얻을 수 있는 곳은 매우 다양하다. 과거에는 지식을 보유한 소수의 전문가가 대학이나 방송 같은 제한된 채널을 통해 정보를 전파했지만, 오늘날에는 1인 방송이나 팟캐스트, 유튜브나 페이스북 같은 소셜 미디어를 통해 자신의 지식과 견해, 경험을 송출한다. 그리고 밀레니얼 세대는 이를 검색하고, 받아 보고, 다른 사람에게 공유하고, 자신의 의견을 보태기도 한다. 또 이 과정에서 다양한 사람들과 논쟁하고, 새로운 정보를 추가하고, 잘못된 정보를 정정하기도 한다. 즉 온라인 커뮤니티나 소셜 미디어에서 일어나는 모든 배움은 소셜러닝에 해당한다.

밀레니얼 직장인 F의 이야기를 통해 이와 같은 배움이 어떻게 일어나는지 살펴보자. 프로그래머인 F는 업무와 관련해 궁금한 점이 있을 때 페이스북 앱을 통해 3만여 명의 프로그래머들이 활동하는 커뮤니티 '코딩이랑 무관합니다만' 페이지에 접속하여 질문을 남긴다. 그리고 다른 프로그래머들이 답변해준 내용을 참고하여 업무를 처리한다. 이어 자신이 축적한 경험과 노하우를 영상으로 제작하여 직장 내 플랫폼과 자신이 운영하는 블로그, 유튜브에 공유한다. 이처럼 다른 사람으로부터 배우고, 자신만의 콘텐츠를 생산하며, 재생산한 콘텐츠를 공유하는 것은 단지 F만의 이야기가 아니다. 대부분의 밀레니얼 세대에게 낯설지 않은 학습 방식이다.

누구나 콘텐츠 소비자이자 생산자로서 참여할 수 있고, 학습자들끼리 쉬이 교류할 수 있는 환경은 소셜러닝의 강력한 지원자이다. 온라인 교육 전문매체인 이러닝인더스트리e-Learning Industry와 글로벌 학습 관리 시스템 업체인 도체보Docebo에 따르면, 학습자들이 생성하는 지식 콘텐츠의 58%가 전문가와의 질의/응답 및 토론, 55%가 특정 과제에 대한 짧은 영상, 35%가 블로그 등 텍스트 형태의 콘텐츠이다. 이러한 콘텐츠들을 생산하고, 공유하고, 소비하는 모든 과정은 앞서 살펴보았던 70:20:10 모델 중 타인을 통해 배우는 20%의 영역이자 소셜러닝의 '집단 토의'와 '가르치기'에 해당하는 학습 활동이다. 더욱이 이러한 방식은 영상이나 오디오, 문서 콘텐츠를 쉽게 개발할 수 있도록 돕는 저작 도구authoring tool가 크게 발전하면서 더욱 확산되고 있다.

물론 '누구나 콘텐츠를 생산할 수 있다'는 점 때문에 검증 과정 없이 유통되는 지식의 타당성이나 신뢰성 문제가 존재한다. 그러나 우리가 주목해야 할 것은 이러한 학습 경험이 밀레니얼 세대에게 매우 익숙하다는 점이다. 익숙함은 곧 습관으로 안착하는 법이다. 그리 새롭지 않은 소셜러닝이 밀레니얼 세대에게 중요한 의미를 갖는 이유는 바로 이 때문이다.

제3장

밀레니얼은
이렇게 배운다

배움의 습관을 바꾸는 다섯 가지 트렌드

01

마이크로러닝 :
딱 한입 크기의 학습

밀레니얼 세대의 배우는 방식, 그리고 배움 습관을 뒤바꾼 핵심 요소는 단연 기술이다. 모바일 시대의 도래와 개인 맞춤형 추천 기술의 발전은 '언제 어디서나 나에게 필요한 정보에 접근할 수 있는 환경'이 마련되었음을 의미한다.

실제로 모바일 기술은 일상을 넘어 배움의 습관도 재편하고 있다. 사람들은 하루 평균 2,617번 스마트폰 화면을 터치하고, 70%의 사람들이 모바일 기기를 통해 인터넷에 접속하며, 77%의 디지털 미디어가 모바일 기기를 통해 우리에게 전달된다. 직장인 대부분은 일터에서 무언가를 배우기에는 시간이 부족하다고 여기기 때문에 모바일 기기를 통해 학습하기를 선호한다. 이처럼 모바일 환경을 중심으로 변화한 라이프스타일이 배움 습관에도 큰 영향을 미쳤다. 성장 욕구를 지니고 있으나 시간이 부족하다고 느끼는 요즘 직장인들에게 모바일 환경을 이용한 학습은 매우 유용하다.

이러한 가운데 근 몇 년간 많은 관심을 받고 있는 키워드가 있다. 바로 '한입 크기의 학습bite-sized learning'을 의미하는 '마이크로러닝micro-

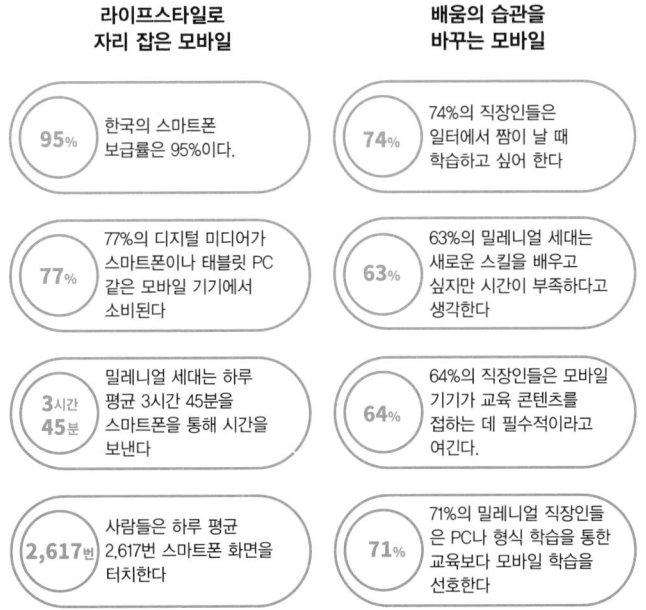

● 모바일 환경으로 재편되는 라이프스타일과 배움 습관

라이프스타일로 자리 잡은 모바일

95% 한국의 스마트폰 보급률은 95%이다.

77% 77%의 디지털 미디어가 스마트폰이나 태블릿 PC 같은 모바일 기기에서 소비된다

3시간 45분 밀레니얼 세대는 하루 평균 3시간 45분을 스마트폰을 통해 시간을 보낸다

2,617번 사람들은 하루 평균 2,617번 스마트폰 화면을 터치한다

배움의 습관을 바꾸는 모바일

74% 74%의 직장인들은 일터에서 짬이 날 때 학습하고 싶어 한다

63% 63%의 밀레니얼 세대는 새로운 스킬을 배우고 싶지만 시간이 부족하다고 생각한다

64% 64%의 직장인들은 모바일 기기가 교육 콘텐츠를 접하는 데 필수적이라고 여긴다.

71% 71%의 밀레니얼 직장인들은 PC나 형식 학습을 통한 교육보다 모바일 학습을 선호한다

출처: 컴스코어, 도체보, 디스카우트, 링크드인 러닝, 퓨리서치센터, 투워드머처리티의 자료를 재구성

learning'이다. 마이크로러닝은 작게 쪼개진 교육 콘텐츠를 통해 한 번에 소화 가능한, 하나의 학습 목표를 달성할 수 있는 학습을 의미한다. 마이크로러닝에 최적화된 콘텐츠는 대체로 짧은 분량으로 구성되고, 각각이 완결성을 갖추고 있다. 텍스트, 비디오, 이미지, 오디오 등 콘텐츠 형식을 가리지 않는다. 이와 같은 특성 덕분에 마이크로러닝은 모바일 환경에 매우 적합하며, 일터나 집, 어디에서든 지식과 정보가 필요한 모든 순간에 접근할 수 있다.

이와 같은 마이크로러닝은 모바일 환경의 확산과 함께 폭발적으로 성장 중이다. 글로벌 리서치펌인 마켓앤마켓Markets and Markets은 2019년 전 세계 마이크로러닝 시장을 15억 달러로 추산하고, 2024년까지 연평균 성장률 13.2%를 기록하며 27억 달러 규모로 성장할 것으로 내다보았다. 특히 한국이 포함된 아시아-태평양 지역에서는 다른 대륙보다 월등한 성장률로 커질 것이라고 강조했다.

사실 모바일 기기를 통해 긴 분량의 학습 콘텐츠, 즉 매크로러닝 macro-learning을 소화하기에는 한계가 있다. 매크로러닝은 대체로 수많은 내용을 담고 있어서 많은 학습 시간을 필요로 하고, 나에게 딱 필요한 정보를 골라내기도 여의찮다. 사람들이 모바일 기기를 사용하는 순간들, 즉 일터에서 빠르게 무언가를 알아봐야 할 때, 출퇴근길, 잠깐 시간이 비었을 때 등을 떠올려보면, 그 시간을 활용할 수 있는 가장 적합한 학습 방법은 단연 마이크로러닝임을 알 수 있다.

기본적으로 마이크로러닝과 큰 단위의 학습 모듈로 구성된 매크로러닝은 다른 특성을 가지고 있다. 매크로러닝은 형식 학습에 해당하고, 전문적인 지식을 가진 내용 전문가subject matter experts가 콘텐츠 개발에 참여하며, 학습자들이 새로운 개념을 깊게 이해할 수 있도록 체계적인 커리큘럼을 기반으로 만들어진다. 덕분에 매크로러닝을 온전히 학습하기 위해서는 몇 시간에서 며칠에 이르는 시간이 필요하다. 기존의 온/오프라인 교육과정이나 MOOC가 이러한 매크로러닝에 해당한다고 볼 수 있다.

이와 달리 마이크로러닝은 작은 정보의 단위로 이루어져 있어서 무형식 학습이 가능하며, 활용하기에 따라서는 당연히 형식 학습에도 적합하다. 또한 큰 덩어리의 개념을 이해하는 것보다는 실질적인 문제 해결에 도움이 되는 바로 써먹을 수 있는 콘텐츠를 제공하기 때문에 필요할 때 바로 학습할 수 있는 적시 학습just-in-time learning이 가능하다. 내용 전문가뿐만 아니라 학습자 역시 콘텐츠 개발에 참여하므로 학습자는 콘텐츠의 소비자인 동시에 생산자, 즉 프로슈머prosumer가 된다. 덕분에 다른 학습자와의 상호작용이 비교적 쉽다. 짧은 영상이나 텍스트, 오디오 콘텐츠를 접할 수 있는 플랫폼 또는 블로그와 같은 학습 자원 역시 마이크로러닝에 해당한다.

다만 이러한 구분은 편의를 위한 것일 뿐, 이 두 가지 개념이 칼로 무 베듯 깔끔하게 갈리는 것도 아니고 어느 한 쪽이 우월한 것도 아니다. 하나하나의 콘텐츠를 작은 단위로 개발하되 이를 촘촘히 엮어 하나의 교육과정으로 활용하는 사례가 늘고 있고, 이로 인해 마이크로러닝

● 매크로러닝과 마이크로러닝 비교

	매크로러닝(Macro-learning)	마이크로러닝(Micro-learning)
학습 형태	형식 학습 (Formal Learning)	형식 학습 + 무형식 학습 (Formal Learning + Informal Learning)
학습 시간	몇 시간~며칠	몇 분
콘텐츠 구성	큰 단위의 학습 모듈로 구성되며, 비교적 복잡한 개념이나 이슈를 다룸	작은 단위로 이루어진 정보 덩어리(Nuggets)로 구성되고, 비교적 간단한 개념이나 이슈를 다루며 일터에서 적시 학습이 가능함
콘텐츠 개발	특정 주제에 대해 전문성을 지닌 내용 전문가(Subject Matter Experts)가 개발에 참여	내용 전문가는 물론 학습자들도 개발에 참여
기대 효과	새로운 개념을 깊게 이해	새로운 개념 이해 + 실질적인 문제 해결
예시	온/오프라인 교육과정, MOOC	짧은 영상 / 텍스트 / 오디오 플랫폼이나 블로그
학습자의 역할	콘텐츠의 소비자	콘텐츠를 소비하고 생산하는 프로슈머 (Prosumer)
학습자의 참여	적극적인 콘텐츠 소비	학습자들 간의 상호작용
일터에서 필요한 순간	직무, 사람, 시스템, 전략, 산업, 환경에 대해 이해해야 할 때	커리어의 각 단계에서 매일 마주하는 문제를 해결할 수 있는 정보가 필요할 때

출처: 루미니타 지우르지우의 논문과 발라미스의 포스팅을 재구성

이라고 할지라도 새로운 개념을 깊게 이해할 수 있도록 개발하기도 한
다. 매크로러닝을 제공하는 콘텐츠 플랫폼에 학습자들이 상호작용할
수 있는 기능을 추가하여 소셜러닝을 독려하기도 하고, 실질적인 문제
해결에 집중하는 매크로러닝 콘텐츠도 속속 등장하고 있다.

우리가 주목해야 할 부분은 마이크로러닝을 통한 학습이 '시간이 부족하고' '다른 이들과의 상호작용과 경험을 원하는' 밀레니얼 세대의 욕구를 충족하고 있다는 것이다. 이와 관련해 조금 더 상세하게 살펴보고자 하는 지점은 크게 세 가지다. 첫째, 밀레니얼 세대에게 마이크로러닝이 적합한 이유는 무엇인가? 둘째, 마이크로러닝에 적합한 콘텐츠 형식은 무엇인가? 셋째, 마이크로러닝은 모든 일터에 유효할까?

1) 즉시 검색해서 바로 써먹는 학습법

기술에 익숙하고 삶의 많은 영역을 스마트폰과 함께하는 밀레니얼 세대는 타고난 마이크로러닝 학습자이다. 하지만 밀레니얼 세대가 자라온 환경만을 마이크로러닝의 효용과 연결시키는 것은 충분하지 않다. 마이크로러닝이 이들에게 선사하는 실질적인 가치는 이보다 크다.

마이크로러닝이 각광 받는 첫 번째 이유는 필요할 때 필요한 지식과 정보를 습득할 수 있기 때문이다. 밀레니얼 직장인 G는 김치찌개를 잘 끓이고 싶을 때 '김치찌개 레시피'를 블로그에서 검색하고는 한다. 기획서를 잘 쓰고 싶을 때에는 유튜브에서 '기획서 쓰는 법'을 검색한다. 모바일 환경이 익숙한 밀레니얼 세대에게 이것은 장점이라기보다 기본 요건에 가깝지만, '내가 원하는 순간에 필요한 것을 공급받는다는 것'은 그 자체만으로 매력적이다. 더욱이 스마트폰으로 자신이 궁금한 것을 검색해보는 밀레니얼 세대는 배움을 미루고 싶어 하지 않는다. 이들은 일터에서 다양한 상황과 문제를 마주하면, 빠른 시간 내에 필요한 지식을 얻고 즉시 적용할 수 있기를 바란다. 소요 시간이 길지 않은 마이크로러닝은 이런 적시 학습에 최적화되어 있다.

이러한 특성은 밀레니얼 세대의 효율적인 학습을 돕는다. 마이크로러닝 콘텐츠는 '한입 크기'의 짧은 분량으로 구성되기 때문에 무언가를 배우기 위해 일터를 비울 필요가 없다. 궁금하거나 필요한 정보를 잠깐 확인하면 되니 업무 중단의 부담이 적다. 게다가 뛰어난 접근성을 가지고 있다는 점, 즉 스마트폰, 태블릿PC, 데스크탑이나 랩탑을 비롯한 여러 기기에서 쉽게 소비할 수 있다는 것은 마이크로러닝의 특징이자 큰 장점이다. 무언가를 배우기를 원하면서도 시간이 부족하다고 여기는 밀레니얼 세대에게는 이 부분이 매우 큰 매력으로 다가올 것이다. 마이크로러닝 분야의 전문가 칼라 토거슨Carla Torgerson이 강조한 바와 같이 이 학습 방법론은 급변하는 비즈니스 환경에서 업무로 바쁜 학습자들의 니즈를 충족하기에 매우 적합하다.

마이크로러닝이 부상하는 두 번째 이유는 마이크로러닝이 어댑티브러닝을 실현하는 데 안성맞춤이기 때문이다. 학습자 개인의 데이터를 분석하여 특성과 학습 수준을 도출하고 부족한 부분이나 도움이 필요한 부분을 적절히 지원하는 어댑티브러닝은 아주 세분된 학습 콘텐츠들을 필요로 한다. 큰 덩어리의 콘텐츠로는 학습자에 대한 세세한 데이터를 수집하는 데 한계가 있기 때문이다. 이 문제가 선결되지 않으면 학습자의 현재 학습 수준을 측정하기 어렵고, 목표로 삼아야 할 학습 수준을 설정할 수 없으며, 이에 따라 해당 학습자에게 최적화된 콘텐츠를 제공하거나 다른 지원을 할 수 없다.

물론 매크로러닝도 학습자의 수준을 측정하기 위한 노력을 기울일 수 있다. 하지만 아무리 방대한 학습 데이터를 수집하고 분석할 수 있다고 해도 학습자의 미진한 부분을 채워주기에 가장 적합한 것은 마이크로러닝이다. 같은 범주에 포함되는 지식이나 정보를 원하더라도 학습자의 이해 수준이나 흥미의 정도는 차이가 있기 마련이다. 학습자가 잘 모르는 부분을 교육하기 위해 하나부터 열까지 모든 내용을 담은 매크로러닝을 제공하는 것은 비효율적일 뿐만 아니라 효과적이지도 않다. 어댑티브러닝과 마이크로러닝이 떼려야 뗄 수 없는 관계에 있는 이유가 바로 여기에 있다.

2) SNS, 유튜브, 팟캐스트, 이 모든 것이 마이크로러닝 콘텐츠

밀레니얼 세대가 지식과 정보를 얻는 채널은 매우 다양하다. 따라서 마이크로러닝에 적합한 콘텐츠 역시 다채로울 수밖에 없다. 유튜브 즐겨찾기 항목에 추가해둔 영상, 사내 학습 플랫폼에서 제공하는 온라인 강의, 매일 받아 보는 뉴스레터, 출퇴근길에 듣는 팟캐스트가 모두 마이크로러닝이라고 할 수 있다. 사정이 이렇다 보니 '마이크로러닝에 적합한 콘텐츠 형식이 무엇인가?'라는 질문에 대한 정답을 찾기가 쉽지 않다. 그보다는 밀레니얼 세대가 소비하는 지식 콘텐츠의 형식을 살펴보는 것이 더 적절한 접근인 것 같다.

① 영상

각종 통계자료를 들먹이지 않더라도 영상이 매우 효과적인 콘텐츠 형식이라는 점을 부정할 사람은 없을 것이다. 영상 콘텐츠는 역동적인 시각 자극을 주기 때문에 보는 사람의 주의를 쉽게 붙잡아둘 수 있다. 음성 정보를 함께 전달하고 다양한 기기를 통해 재생할 수 있다는 점 역시 매우 매력적이다.

대표적인 예로 많은 사람들에게 익숙한 TED를 들 수 있다. TED와 유사한 '세상을 바꾸는 시간' 역시 연사들의 강연을 영상으로 제작한다. 물론 이 두 가지를 전형적인 마이크로러닝 콘텐츠로 분류하기에는 다소 길이가 길고 내용의 특성상 실질적인 문제 해결과 거리가 있다. 그러나 영상 콘텐츠의 파급력과 매력은 충분히 가늠할 수 있다.

앞서 살펴보았던 린다닷컴이나 유데미 역시 모두 영상 콘텐츠를 주력으로 삼고 있다. 전문가가 등장하여 내용을 해설하는 방식의 영상은 이러닝이 등장했던 2000년대부터 줄곧 온라인 교육 콘텐츠의 전형이었다. 기업 교육 분야에서 직원들에게 제공하는 온라인 교육도 대부분 영상 콘텐츠이고, 직원들이 일터에서의 경험과 노하우를 사내에 공유할 때도 영상을 애용한다. 시간이 흐르며 마이크로러닝에 적합한 형태로 쪼개지고 밀레니얼 세대가 즐겨 보는 스타일로 변화를 거듭하고 있지만, 영상은 여전히 강력한 콘텐츠 형식이다.

더욱이 유튜브의 시대를 맞이하여 미디어 스타트업을 중심으로 고품질의 지식 콘텐츠도 쏟아지고 있다. 사람들의 관심사나 취향이 세분되면서 이러한 수요를 충족시키기 위한 전문적인 채널이 늘어나고 있으며, 이들이 생산하는 영상 역시 매우 매력적인 마이크로러닝 콘텐츠이다. 교육 목적으로 제작된 것은 아니지만 풍부한 지식과 정보를 담고 있다.

밀레니얼 세대는 이런 영상을 통해 기존의 온라인 강의와 다른 방식으로 학습한다. 예를 들어 실리콘밸리에서 일하는 한국인은 물론, 저명한 창업가들의 인터뷰 콘텐츠를 제공하는 유튜브 채널 'EO'는 기업가 정신, 실리콘밸리의 조직 문화, 스타트업의 생리를 궁금해하는 이들에게는 아주 좋은 배움터이다. 도서 내용을 적절히 정제하고 요약하여 전달하는 '지식을 말하다'나 '책읽찌라'와 같은 채널의 콘텐츠 역시 한 입 크기의 지식과 정보를 담아낸다. 어렵게만 느껴지는 문화예술이라는 주제를 재미있는 영상 문법으로 풀어내는 '널 위한 문화예술'의 콘텐츠는 예술 작품이나 예술가를 공부하고자 하는 이들에게 더할 나위 없는 학습 자원이다. 이러한 흐름에 힘입어 미디어 스타트업에서 만들어낸 영상들을 기업이나 기관, 대학과 일선 학교에서 교육 콘텐츠로 도입하는 사례가 늘고 있다.

② 디지털 리포트

디지털 리포트는 디지털 환경에서 열람하거나 접근할 수 있는 텍스트 중심의 콘텐츠이다. 사실 '디지털 리포트'는 통용되는 용어는 아니지만, 이 책에서는 공공기관이나 비영리기관을 비롯한 여러 기관에서 무료 혹은 유료로 발행하는 리포트들을 통칭하는 개념으로 사용하겠다. 학습자는 디지털 리포트 파일을 다운로드해서 열람하거나, 이러한 콘텐츠들을 구독 서비스로 제공하는 플랫폼을 통해서 접근한다.

디지털 리포트는 텍스트가 중심이기는 하지만 디지털 기술을 활용하여 다양한 학습 경험을 제공한다. 예를 들어 출처, 관련 내용을 더 자세히 살펴볼 수 있는 링크나, 텍스트 내용과 연관된 영상을 삽입할 수 있다. 디지털 리포트를 읽다가 중단하더라도 학습자가 읽은 지점을 저장했다가 다시 접속했을 때 이어서 읽을 수 있는 기능을 제공하기도 한다.

대표적인 예는 일하는 사람들의 콘텐츠 플랫폼을 지향하는 퍼블리 PUBLY이다. 퍼블리는 디지털 리포트를 유료로 제공함에도 불구하고 높은 품질 덕분에 밀레니얼 세대의 열광적인 지지를 받고 있다. 월정액 서비스에 가입하면 퍼블리의 리포트를 무제한으로 열람할 수 있으며, 콘텐츠의 중심은 텍스트지만 이해를 돕는 유튜브 영상들을 넣기도 한다. 이어서 읽기 기능은 물론 메모 기능도 지원한다. 리포트를 구성하는 모든 챕터에는 해당 콘텐츠를 읽는 데 소요되는 시간을 표기하며, 짧게는 5분에서 길게는 10여 분 정도만 투자하면 한 챕터를 완독할 수 있다.

③ 뉴스레터

본디 뉴스레터newsletter는 제품이나 서비스에 대한 정보와 소식을 메일을 통해 전달하는 소식지를 말한다. 이전부터 전통적인 마케팅 기법 중 하나로 애용되었지만 공급자 중심의 일방적인 정보 전달로 인해 온라인 전단지 취급을 받으며 외면당해왔다.

그러나 밀레니얼 세대에게 큰 호응을 얻고 있는 뉴스레터 서비스들이 속속 등장하면서, 스팸 메일함으로 직행하던 이 콘텐츠 형식이 매력적인 지식 콘텐츠로 자리 잡고 있다. 밀레니얼 세대를 위한 시사 뉴스를 전달하는 '뉴닉NEWNEEK', 그날 하루의 경제 뉴스를 쉽게 풀어내는 '리멤버나우Remember Now', 사회 초년생에게 도움이 되는 금융 정보를 제공하는 '어피티UPPITY' 등이 그 주인공이다.

이들 역시 텍스트를 중심으로 하나 방대한 정보들을 정제하여 독자들에게 읽기 쉽게 제공한다. 뉴스레터를 발행하는 기업이나 개인의 특성에 따라 요약된 내용을 전하기도 하고, 어려운 내용을 보다 깊이 있게 분석해주기도 한다. 세분화된 관심사만큼이나 특정 분야를 전문적으로 다루는 뉴스레터 서비스가 늘어나고 있다는 점, 그리고 콘텐츠 형식의 특성상 짧은 시간만 투자해도 소화하기 어렵지 않다는 점 덕분에 뉴스레터 역시 마이크로러닝을 위한 학습 자원으로 활용된다.

④ 오디오

오디오는 오랜 기간 매우 익숙하지만 낡은 콘텐츠 형식으로 인식되어왔다. 그러나 인공지능 기술의 발달과 스마트 스피커의 등장은 오디오 콘텐츠에 새로운 에너지를 불어넣어주고 있다. 음성 검색 기술은 우리의 라이프스타일을 서서히 변화시키고 있다. 글로벌 시장조사기관인 에디슨리서치Edison Research에 따르면 2019년을 기준으로 미국 성인의 24%, 약 4분의 1에 해당하는 인구가 스마트 스피커를 보유하고 있다. 이들은 실시간으로 재생되는 스트리밍 오디오streaming audio 서비스는 물론이고 라디오, 팟캐스트, 음악 등 다양한 오디오 콘텐츠를 소비한다. 2019년에 발표한 또 다른 연구를 살펴보면, 설문에 응한 팟캐스트 이용자의 74%가 '새로운 것을 배우기 위해' 팟캐스트를 듣는다고 답했다.

오디오만으로 무언가를 배우는 것은 충분하지 않다고 생각할 수 있다. 하지만 밀레니얼 세대는 오디오북과 팟캐스트를 통해 많은 정보를 얻는다. 딜로이트의 발표에 따르면 2020년 글로벌 오디오북 시장의 규모는 35억 달러, 팟캐스트 시장은 11억 달러이다. 시장의 크기가 작다고 생각할 수 있으나 전년에 비해 오디오북은 25%, 팟캐스트는 30%의 높은 성장세를 보였다. 또한 딜로이트가 2018년 미국 성인 1,075명을 대상으로 수행한 조사를 살펴보면, 전체 응답자 중 오디오북을 듣는 연령대는 25~34세가 26%로 다른 연령대보다 월등히 높다. 팟캐스트의 경우도 이 연령대가 38%로 청취자 수 1위를 차지했다.

이렇듯 밀레니얼 세대에게 오디오 콘텐츠가 매력적인 이유는 멀티태스킹에 매우 적합하기 때문이다. 에디슨리서치의 리포트에 따르면 팟캐스트 이용자의 87%가 "무언가를 듣는 중에도 다른 일을 할 수 있기 때문에 팟캐스트를 즐긴다"라고 답했다. 운전 중에, 운동 중에, 걸을 때, 그 밖의 다른 작업을 하면서도 소비할 수 있는 오디오 콘텐츠는 효율적인 학습을 선호하는 요즘 직장인들에게 매우 유용한 마이크로러닝 콘텐츠이다.

중앙일보 기자들이 제작하는 밀레니얼의 시사 친구, '듣똑라'가 아이튠즈iTunes에서 팟캐스트 인기 순위 1위를 차지한 것은 우연이 아니다. '듣다보면 똑똑해지는 라이프'라는 뜻을 지닌 '듣똑라'는 밀레니얼에게 필요한 최신 시사, 지식, 커리어, 라이프스타일 콘텐츠를 제공한다. 팟캐스트의 인기에 힘입어 듣똑라는 유튜브와 뉴스레터까지 채널을 확장하고 있다.

'윌라Welaaa'나 '스토리텔Strorytel'과 같은 구독형 오디오북 역시 서비스 범위를 확장하고 있다. 성우와 같은 전문 낭독자가 책의 내용을 읽어주는 오디오 콘텐츠를 구독자에게 제공한다. 일각에서는 오디오북이 책장을 넘겨가며 읽는 것에 미치지 못한다는 의견도 존재한다. 그러나 이는 어느 한쪽의 우위 문제라기보다는 독서 경험의 결이 다른 것에 가깝다. 오디오북은 '듣기'가 지닌 탁월한 접근성을 바탕으로 독자적인 영역을 구축하고 있다.

⑤ 이북

이북은 종이 대신 디지털 형태로 유통되는 전자책을 말한다. 통상 모바일 기기나 PC, 또는 아마존의 킨들Kindle이나 리디북스RIDI Books의 리디페이퍼RIDI Paper 같은 이북 리더e-book reader를 통해 소비한다. 이북이 종이책을 완벽하게 대체하고 있지는 않지만, 휴대하기 편하고 신간 업데이트도 느리지 않아서 적지 않은 이들이 애용하고 있다. 아주 오래전부터 책은 지식과 정보를 얻는 주요 수단이었고, 이북은 책 읽기의 편의성을 극대화한 콘텐츠 형식이다. 이러한 특성 덕분에 이북 역시 주요한 마이크로러닝 콘텐츠로 활용된다.

현재 이북 시장은 책 한 권의 가격으로 수만 권의 이북을 접할 수 있는 밀리의서재, 베스트셀러는 물론 프리미엄 아티클까지 볼 수 있는 리디셀렉트RIDI Select가 선도하고 있다. 또한 종이책 유통 시장을 거머쥐고 있던 대형 서점 역시 앞다투어 이북 서비스를 내놓으면서 이북으로 접할 수 있는 책의 저변이 넓어지고 있다. 밀레니얼 세대 역시 이러한 변화에 동참하고 그에 따른 혜택을 맛보고 있는 소비자들이다.

⑥ 카드뉴스 & 인포그래픽

카드뉴스는 여러 장의 이미지에 간단한 텍스트를 첨부하는 콘텐츠 형식이고 인포그래픽infographics은 정보, 데이터, 지식 등을 쉽고 빠르게 전달하기 위해 시각적으로 표현한 것을 말한다. 이 두 가지는 텍스트보다 직관으로 내용을 담아낼 수 있다는 점에서 SNS 플랫폼에 적합한 콘텐츠 형식으로 자리 잡았다.

SNS에 많은 시간을 쓰는 밀레니얼 세대에게 카드뉴스와 인포그래픽은 매우 익숙하다. 여기에는 각종 미디어나 기업들이 정보를 전달하기 위해 이러한 콘텐츠 형식을 적극적으로 활용하는 추세도 한몫했다. 카드뉴스와 인포그래픽은 매우 짧은 시간만 투자해도 모든 내용을 파악할 수 있다는 점에서 마이크로러닝에 적합하다.

언론사인 머니투데이의 '티타임즈TTimes'는 모바일 뉴스 콘텐츠를 발행하는 채널이다. '티타임즈'의 가장 큰 특징은 대부분의 콘텐츠를 카드 뉴스로 제작한다는 점이며, 그 주제는 뉴스와 비즈니스는 물론 문화예술까지 아우른다. 이러한 카드뉴스는 기본적으로 무료지만, 사내 교육 플랫폼을 운영하는 많은 기업들이 '티타임즈'의 콘텐츠를 임대하여 마이크로러닝에 활용하기도 한다.

⑦ 블로그

블로그는 웹web과 로그log, 일기의 합성어로, 많은 사람들이 자신의 관심사나 지식을 웹 환경에 일기처럼 기록하는 창구다. 기술이 발전하며 블로그에 영상이나 이미지 등 텍스트 외에도 다양한 콘텐츠 형식을 업로드할 수 있게 되고, 다른 사용자들이 블로그에 쉽게 접근할 수 있게 되면서 블로그는 오랜 기간 동안 1인 미디어로서 기능했다. 특히 각 분야의 전문가들이 블로그를 운영하면서 강력한 마이크로러닝 자원으로 거듭났다. 물론 누구나 글을 적을 수 있기 때문에 콘텐츠가 담고 있는 정보의 진위나 타당성을 따져볼 필요는 있다. 하지만 '검색'이라는 익숙한 행위를 통해 바로 접근할 수 있고, 하나의 콘텐츠를 소비하는 데 긴 시간이 필요하지 않다는 점에서 블로그는 여전히 남다른 존재감을 뽐낸다.

밀레니얼 세대가 영상 콘텐츠를 많이 소비하기는 하지만 블로그와 같은 콘텐츠 형식을 배척하는 것은 아니다. 특히 블로그는 운영자가 부담 없이 콘텐츠를 생산할 수 있고 자신의 견해나 경험을 자유로이 풀어낼 수 있다는 장점이 있다. 그렇기 때문에 다른 이들이 지닌 지식과 경험을 탐하는 밀레니얼 세대에게 블로그는 여전히 훌륭한 마이크로러닝 콘텐츠를 제공한다.

⑧ SNS

SNS는 트위터나 페이스북, 링크드인처럼 온라인에서 다른 사람들과 관계를 맺을 수 있도록 돕는 서비스이다. 이 서비스가 일상에 스며들면서, 많은 사람들은 SNS 채널을 통해 자신의 지식과 견해를 전달하고 다른 이와 콘텐츠를 공유한다. 많은 미디어와 언론사 역시 SNS를 통해 자신들의 콘텐츠를 유통하고, 여러 명사들이 SNS를 주요 소통 창구로 이용하면서 이 콘텐츠 형식 역시 매우 효과적인 마이크로러닝 자원이 되었다.

SNS의 장점은 단연 광범위한 인적 네트워크를 기반으로 필요한 정보를 취득할 수 있고, 다른 사람들과 상호작용할 수 있다는 점이다. 자신의 관심사에 대한 전문적인 정보를 제공하는 채널을 팔로우하면 관련 콘텐츠를 받아 볼 수 있으며, 앞서 살펴본 직장인 F처럼 SNS에 개설된 커뮤니티에서 궁금한 점의 답을 구할 수도 있다. 자신 또는 다른 이가 게시한 콘텐츠에 댓글을 달며 토론을 경험할 수도 있다. 이처럼 SNS는 정보 취득부터 소셜러닝까지 경험할 수 있는 마이크로러닝 채널이다.

⑨ 웨비나

웨비나webinar는 웹web과 세미나seminar의 합성어이다. 일반적으로 온라인에서 실시간으로 이루어지는 회의나 토론회, 강연 등을 의미한다. 웨비나는 누구나 인터넷을 통해 간편하게 참석할 수 있다는 장점 덕분에 모바일 시대라고 할 수 있는 오늘날 더 큰 효용성을 갖게 되었다. 보통 오프라인에서 이루어지던 세미나나 교육 프로그램에 모바일 기기로 언제 어디서나 접근할 수 있다는 탁월한 편의성을 제공한다.

사실 웨비나는 근래 등장한 개념이 아니다. 그러나 현재의 웨비나는 통신기술 및 인프라의 발달로 인해 이전보다 뛰어난 안정성을 갖게 되었고, 뛰어난 웨비나 솔루션들이 속속 등장하면서 참석자 간의 상호작용을 극대화하는 방향으로 진화하고 있다. 특히 인터넷에서 데이터를 실시간으로 전송하고 멀티미디어 파일을 재생할 수 있는 스트리밍 기술의 발전, 2020년 전 세계를 덮친 코로나바이러스감염증-19COVID-19와 함께 부상한 비대면 트렌드로 인해 웨비나의 존재감은 더욱 커졌다.

다만 웨비나는 마이크로러닝에 최적화된 콘텐츠 형식이라고 보기에 무리가 있다. 대다수의 웨비나 프로그램의 주제나 특성이 매크로러닝에 가깝기 때문이다. 또한 실시간으로 진행되는 탓에 짧은 분량으로 구성하기도 어렵다. 그럼에도 불구하고 웨비나는 특정 분야의 전문가는 물론 자신만의 콘텐츠를 지닌 사람들이 큰 제약없이 콘텐츠를 실시간으로 송출할 수 있다는 점, 그리고 일방적인 지식 전달을 넘어서 진행자와 모든 참석자가 끊임없이 소통하고 의견을 나눌 수 있다는 점에서 매크로러닝과 마이크로러닝의 특성을 조금씩 가지고 있다.

3) 현장에서 바로 배운다 - 일과 학습의 결합

사무직에 종사하는 밀레니얼 세대는 업무를 수행하다가도 필요하면 교육 콘텐츠에 바로 접근할 수 있다. 공부할 짬을 낼 수만 있다면, 이들은 사무실에 설치된 데스크탑이나 랩탑, 출퇴근길에 손에 쥔 스마트폰으로 쉬이 학습할 수 있다. 이들에게 잘게 쪼개진 마이크로러닝은 보다 쾌적하고 효과적이고 효율적인 학습 방법론으로서 가치를 갖는다.

그렇다면 현장직은 어떨까? 이들은 사무실에 상주하지 않기 때문에 데스크탑으로 온라인 강의를 수강하거나 긴 시간을 필요로 하는 오프라인 교육에 참여하기 어렵다. 수많은 고객사를 방문해야 하는 영업 사원, 소매점에서 근무하는 직원, 운송업에 종사하는 사람들, 공장이나 납품 현장에서 교대 근무를 하는 노동자 등이 이에 해당한다. 이렇게 보면 시시때때로 무언가를 배우는 것은 자신의 업무 시간을 어느 정도 조절할 수 있는 사무직의 특권인 듯하다. 하지만 마이크로러닝은 책상에서 일하지 않는 노동자, 즉 비사무직 노동자의 상시 학습을 지원할 수 있다.

비사무직 노동자는 주로 현장에서 업무를 처리하거나 예측하기 어려운 상황에 대응하는 데 많은 시간을 할애한다. 오프라인 교육에 참가하거나, 긴 온라인 강의를 듣는 것은 이들에게 '현업과 멀어지는 것'을 의미한다. 실제로 무언가를 배울 시간도 충분하지 않다. 하지만 마이크로러닝으로 상품 정보 업데이트, 고객이 자주 묻는 질문에 대한 답변,

작업 프로세스에 대한 지침 등 업무를 수행하기 위해 반드시 알아야 하거나 현장에서 직면하는 문제를 해결할 수 있는 방법 등을 그때그때 학습할 수 있다.

그렇다면 실제로 어떤 산업군이 마이크로러닝을 애용하고 있을까? 이에 대한 답은 글로벌 마이크로러닝 플랫폼 액소니파이Axonify가 2018년에 발간한 리포트에서 찾을 수 있다. 이 리포트는 액소니파이가 서비스를 제공하는 고객사 데이터를 기반으로 작성되었기 때문에 기업 교육에 국한된 내용이라는 한계점을 지닌다. 그러나 여러 일터에서 마이크로러닝에 대한 수요가 얼마나 되는지, 어떤 목적으로 마이크로러닝이 활용되고 있는지를 살펴볼 수 있다.

액소니파이는 북미 지역에 있는 조직 78개와 학습자 36만 명을 대상으로 2017년 1월 1일부터 12월 31까지 축적된 마이크로러닝 학습 데이터를 분석했다. 데이터는 약 400만 건에 달했으며, 산업군별로 평균을 내서 분석 결과를 도출했다. 이 자료에 따르면, 소매업(27%), 제조/물류업(25%), 금융/보험업(22%), 기타(26%) 순으로 마이크로러닝을 활발하게 활용하고 있었다. '기타'로 분류된 분야는 컨설팅, 숙박, 의약품 판매, 요식업, 건강 관리, 방송 미디어, 에너지, 교육, 소프트웨어, 통신 등을 포함한 19개 산업군이었다.

교육 효과는 어땠을까? 이 리포트에 따르면 마이크로러닝은 조직 구성원들의 지식 수준을 12% 높여주었을 뿐만 아니라 이들이 가진 지식에 대한 자신감을 높여주었다. 이 '자신감'은 학습자 스스로 배운 지

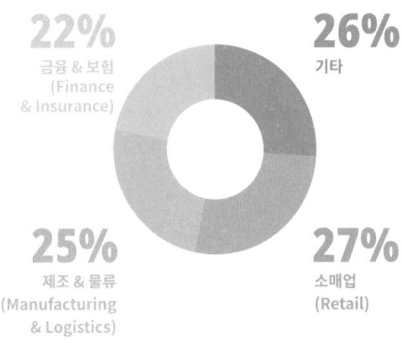

● 마이크로러닝을 적극적으로 활용하는 산업군

22%
금융 & 보험
(Finance
& Insurance)

26%
기타

25%
제조 & 물류
(Manufacturing
& Logistics)

27%
소매업
(Retail)

출처: 액소니파이

식을 확신하는 것은 물론이고, 이를 현업에 활용하고 현장에서의 행동 변화를 이끌 정도의 역량이 배어들었다는 것을 의미한다. 게다가 한 달 중 한 번 이상 학습에 참여한 이들이 전체 직원 중 74%에 달했고, 교육 세션에 월평균 8.7회 참여한 것으로 나타났다. 참여도와 학습 빈도 역시 상당히 높은 수치를 기록한 것이다.

산업군을 막론하고 학습자들은 '상품 및 서비스에 대한 정보와 지식'을 학습하기 위해 마이크로러닝을 활용하는 것으로 나타났다. 마이크로러닝의 '기민함'을 고려했을 때 이 결과는 그리 놀랍지 않다. 고객과의 접점이 많은 비사무직 노동자가 '자사가 고객에게 제공하는 것이 무엇인지', '지금 자사가 제공하는 상품과 서비스가 이전의 것과 어떻게 다른지'를 속속들이 알고 있어야 한다는 점을 생각해보면, 가장 큰 비중을 차지하는 학습 주제가 상품 및 서비스에 대한 정보와 지식이라는 사실은 자연스럽게 느껴진다.

기업 역시 마이크로러닝 콘텐츠를 통해 업무를 지원하고 있다. 새로운 제품이나 서비스를 기획하고 개발할 때, 특정한 프로젝트를 이끌어갈 때, 리더로서 동료들에게 적절한 피드백을 제공할 때, 출시한 상품

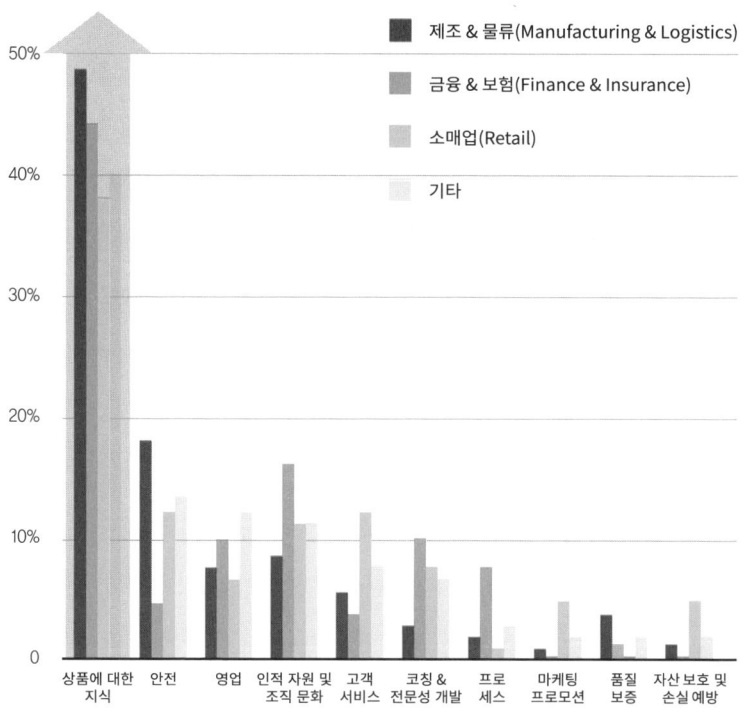

● 마이크로러닝의 학습 주제별 비율

출처: 액소니파이

의 마케팅 전략을 수립할 때, 고객에게 새로운 상품에 대한 정보나 회사의 방침을 설명해야 할 때 모두 학습이 필요하다. 본디 이 과정은 매우 많은 시간을 필요로 하지만, 마이크로러닝을 이용하면 조직 구성원들의 몰입도가 높고, 콘텐츠를 생산하거나 갱신하는 것이 용이하기 때문에 현업과 밀착된 학습이 가능하다.

다만 지금까지 언급한 내용을 마이크로러닝이 사무실에서 일하는 노동자보다 비사무직 노동자에게 훨씬 더 효과적이라고 해석하는 것은 곤란하다. 그보다는 비사무직 노동자에게 전통적인 학습 방법이 적절하지 않은 부분이 많은 데 반해 마이크로러닝은 현장에서도 매우 유용하다는 의미로 이해하면 좋을 것 같다. 사무실에 상주하는 밀레니얼 세대 역시 격무에 시달리고, 무언가를 배우기 위해 짬을 내기 어렵다. 그럼에도 불구하고 일잘러로 거듭나기 위해서는 다양한 비즈니스 스킬과 직무 프로세스를 익혀야 한다. 이러한 측면에서 마이크로러닝은 일터와 밀접한 교육을 제공할 뿐만 아니라 '유의미한' 교육 효과와 '실질적인' 성과에 기여할 수 있는 학습 습관이다.

우리가 무언가를 배우는 것은 자기만족 때문이기도 하지만 자신이 맡고 있는 일을 더 잘하고 커리어를 개발하기 위함이다. 그리고 지금까지 살펴본바 마이크로러닝은 이러한 노력에 힘을 실어주는 든든한 지원자다. 한입에 삼키기 어려운 음식을 잘게 쪼개어 먹으면 씹기도 쉽고 소화도 잘되는 것처럼, 세분된 주제의 짧은 마이크로러닝은 밀레니얼 세대가 배움이 필요한 모든 순간에 지식에 즉시 접근하고 이를 문제 해결에 활용할 수 있도록 돕는다.

이와 같은 학습 경험은 배움을 '일터의 습관'으로 자리 잡게 해준다. 예전에는 무언가를 배우기 위해서는 따로 시간을 내야 했지만, 마이크로러닝은 '일과 학습의 결합'을 지원한다. 일잘러로 성장하고자 하는 욕망, 끊임없이 배움을 추구하는 라이프스타일, 이 모든 것을 충족시킬 수 있는 기술이 빚어낸 '새로운 배움의 습관'이 바로 마이크로러닝이다.

02

구독경제 :
지식과 배움을 구독한다

모바일 시대를 살아가는 우리의 지출 내역 한편을 차지하기 시작한 항목이 있다. 정기적으로 디지털 콘텐츠에 소비하는 비용, 바로 '디지털 생활비'다. 2014년에 《뉴욕타임즈The New York Times》가 처음 제시한 이 개념은 밀레니얼 세대에게는 전혀 낯설지 않다. 이 새로운 세대는 일상에서 적극적으로 값을 지불하며 디지털 콘텐츠를 소비하고 있다.

밀레니얼 세대인 프리랜서 디자이너 H가 한 달 동안 지출하는 디지털 생활비를 살펴보자. H는 우선 한 달간 발생한 통신비를 납부한다. 이것이 전부라면 좋겠지만 H는 주말에 드라마와 영화를 감상하기 위해 넷플릭스에, 출퇴근길에 이북을 읽기 위해 밀리의서재에 가입했다. 그

뿐 아니라 이동할 때 언제든 음악을 들을 수 있도록 멜론Melon을, 개인 자료를 클라우드에 안전하게 보관하기 위해 드롭박스Dropbox를 이용한다. 또 H는 디자인 작업을 위해 어도비의 크리에이티브 클라우드Creative Cloud에 가입하여 포토샵Photoshop과 일러스트레이터Illustrator를 활용한다. 이 모든 것을 위해 H가 지불하는 금액이 바로 디지털 생활비이며, 이는 매달 상당한 금액에 달할 것이다.

모바일 환경의 변화가 밀레니얼 세대의 라이프스타일에 깊숙이 스며들면서 구독경제subscription economy의 출현으로 이어졌다. 세계 최고의 구독 모델 사업가로 꼽히는 티엔 추오Tien Tzuo가 주창한 이 개념은 일정액을 내면 이용자가 원하는 상품이나 서비스를 공급자가 주기적으로 제공하는 신개념 유통 서비스를 말한다. 이는 제품을 소유하는 상품경제product economy나 일정 기간 동안 점유하는 공유경제sharing economy와 다르게 멤버십 제도를 기반으로 가입 기간만큼 서비스를 이용하는 것이다.

● **상품경제 vs. 공유경제 vs. 구독경제**

비고	상품경제	공유경제	구독경제
비용 지불 구조	구입한 만큼 소유자에게 비용 지불	사용한 만큼 기업에게 비용 지불	가입 기간만큼 기업에게 비용 지불
소유 형태	소비자가 소유권 보유	일정 기간 점유권	소비자에게 멤버십 제공

출처: 정보통신기획평가원

구독경제의 영향력이 커지는 만큼 시장 규모도 급성장 중이다. 글로벌 금융기관인 크레디트스위스Credit Suisse는 구독경제 시장이 2015년 4,200억 달러에서 2020년 5,300억 달러 규모로 성장할 것으로 전망했다. 2018년 10월 시장조사기관인 가트너에 따르면 2023년까지 전 세계 기업의 75%가 구독 서비스를 제공할 것이고, 70% 이상의 기업들이 구독 모델을 이미 도입했거나 도입을 고려하고 있다.

이러한 변화는 디지털 콘텐츠는 물론 소매 영역까지 확대되고 있다. 일정액을 기업에 지불하면 식음료, 화장품, 의류, 생필품 등의 제품을 정기적으로 제공받는 것이다. 소위 구독 박스subscription box라고 불리는 이 모델은 구독형 전자상거래subscription e-commerce의 대중화를 이끌고 있다.

미국의 경우 이런 구독 서비스가 생활 전반에서 차지하는 비중이

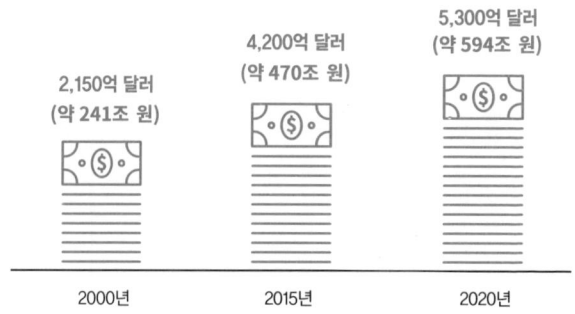

• **구독경제 시장의 성장세**

2,150억 달러
(약 241조 원)

4,200억 달러
(약 470조 원)

5,300억 달러
(약 594조 원)

2000년   2015년   2020년

출처: 크레디트스위스

매우 높다. 2018년에 글로벌 컨설팅회사인 매킨지앤컴퍼니Mckinsey & Company는 온라인 상품이나 서비스를 구매해본 사람들을 대상으로 훌루Hulu, 넷플릭스, 스포티파이Spotify 등의 미디어 서비스나 블루에이프런Blue Apron, 달러셰이브클럽Dollar Shave Club, 입시Ipsy와 같은 구독 박스에 가입한 비율을 조사했다. 그 결과 온라인 쇼핑 이용자 중 49%가 구독 서비스를 이용 중이며, 주 연령대는 25세에서 44세로 비교적 젊었다.

구독경제의 시장 규모가 커짐에 따라 이용자 역시 큰 폭으로 확산되고 있다. 글로벌 컨설팅회사인 딜로이트는 2017년 전 세계에서 구

● 전체 온라인 쇼핑 이용자 중 구독 서비스 이용자의 비율

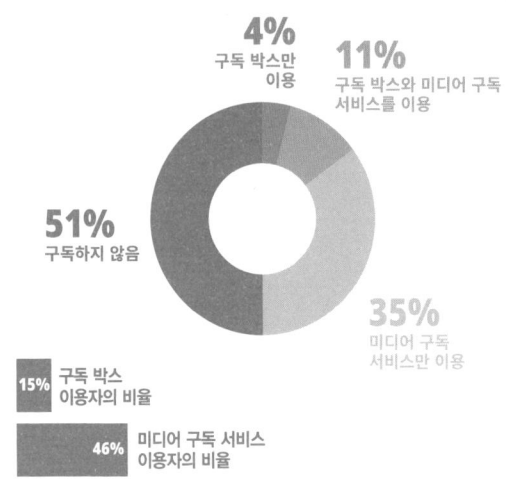

4%
구독 박스만 이용

11%
구독 박스와 미디어 구독 서비스를 이용

51%
구독하지 않음

35%
미디어 구독 서비스만 이용

15% 구독 박스 이용자의 비율

46% 미디어 구독 서비스 이용자의 비율

출처: 매킨지앤컴퍼니
(*반올림 처리된 수치로 인해 합산이 100%가 아닐 수 있음)

● **국내의 구독경제 도입 사례**

분야	기업명	구독료	특징
소비재	와이즐리	월 8,900원	면도날 4개 정기 배송
	꾸까	월 1~3만 원	플로리스트가 만든 장식용 꽃을 정기적으로 받아 보는 서비스
의류	위클리셔츠	월 5~7만 원	살균 세탁해 다림질한 셔츠를 매주 지정된 요일에 배송
	미하이삭스	월 9,900원	양말 세 켤레 배송 서비스
화장품	아모레퍼시픽 스테디	정기 구독	피부 주기별, 계절별로 화장품 배송
	애경산업 플로우	정기 구독	소비자 피부 타입에 기반한 맞춤형 화장품 서비스
도서	밀리의서재	월 9,900원	월 3만 권의 전자책 무료 대여 서비스
	리디북스	월 6,500원	평점 4.0 이상의 검증된 책 2,600여 권 서비스
	예스24	월 5,500원 /7,700원	전자책 무제한 서비스인 북클럽 제공
	플라이북	월 15,000원 등	성별, 나이, 기분, 관심사에 따라 도서 추천
미술	핀즐	월 28,000원	큐레이터가 매달 선정한 해외 아티스트 작품을 대형 아트 포스터로 제공
	오픈갤러리	월 39,000원 부터	3개월에 한 번씩 신진 작가의 미술 작품 배송

출처: 정보통신기획평가원(2019)

독 서비스를 이용하는 인구가 5억 8,000만 명이며, 매년 20%씩 늘어날 것이라고 전망했다. 또한 2018년에는 이용자 절반이 두 가지 분야에서 구독 서비스를 이용하고 있지만, 2020년에는 네 가지 분야로 늘어날 것으로 내다보았다. 이러한 현상을 두고 영국 BBC는 "사람들이 이제 소비재를 소유하는 대신 인생의 구독자로 변화하고 있다"라고 선언했다.

한국 역시 구독경제라는 거대한 흐름에 비켜 서 있지 않다. 가격 대비 성능을 중시하고 개인의 여가 활동에 관심이 많은 1인 가구나 시간적 여유가 많지 않은 맞벌이 가정을 중심으로 구독 서비스에 대한 관심이 늘고 있다. 이에 따라 구독 서비스가 디지털 콘텐츠는 물론 구독 박스로까지 확대되고 있다.

구독경제는 물건을 구매하고 소유하는 것보다 저렴한 비용으로 새로운 경험과 만족을 준다. 효율성을 중시하는 밀레니얼 세대에게 이러한 소비 트렌드는 매우 매력적일 수밖에 없고, 시간이 지날수록 구독경제는 이들의 라이프스타일로 자리 잡아가고 있다.

우리가 여기서 살펴보아야 할 지점은 크게 두 가지이다. 밀레니얼 세대는 구독경제를 통해 어떤 가치를 소비하는가? 구독경제는 어떻게 밀레니얼 세대가 배우는 방식을 바꾸고 있는가?

1) 소유가 아닌 경험을 소비한다

구독은 사실 오래된 비즈니스 모델이다. 신문이나 우유, 요구르트 배달, 학습지나 정수기 렌탈 등도 구독 서비스니 말이다. 이러한 구독경제가 근래에 크게 확산되고 밀레니얼 세대에게 각광 받는 이유는 '디지털이 바꿔놓은 새로운 소비 행태' 덕분이다.

멀지 않은 과거, 많은 사람들은 음악을 듣기 위해 MP3 파일, 영화를 보기 위해 MP4 파일을 다운받았다. 우리는 이 파일들을 전용 기기로 재생하는 방식으로 콘텐츠를 소비했고, 이를 위해 '소유'라는 과정이 전제되었다. 디지털 시대에 접어들면서 손에 잡히는 하드웨어보다 눈에 보이지 않는 소프트웨어가 '상품'이라는 카테고리를 채워나가기 시작했지만, 이때까지도 소비 행태는 소유라는 방식을 크게 벗어나지 않았다.

하지만 네트워크 기술이 발전하고 대용량의 파일을 전송하는 비용이 크게 낮아지면서, 손에 잡히는 상품을 구매하고 소유할 필요 없이 언제 어디서든 이용하는 스트리밍 서비스가 만개했다. 사람들은 스트리밍 서비스의 등장과 발전에 따라 더 이상 멀티미디어 파일을 직접 다운로드할 필요 없이 실시간으로 재생할 수 있게 되었다. 본디 비즈니스 모델과 라이프스타일의 혁신은 기술의 성장뿐만 아니라 그것을 뒷받침할 인프라와 효율적인 운영 구조가 마련되어야 이루어진다. 3G에서 4G로의 전환은 바로 그 변곡점이었다.

이 같은 변화의 파도에 올라타서 엄청난 혜택을 본 기업이 바로 넷플릭스다. 드라마와 영화, 다큐멘터리 같은 미디어 콘텐츠를 스트리밍 서비스로 제공하는 넷플릭스는 미디어 콘텐츠 시장의 파괴적 혁신을 이끈 포식자다. 매달 일정 금액을 지불하면 매력적인 미디어 콘텐츠를 무제한으로 마음껏, 어떤 기기에서든 시청할 수 있다. 넷플릭스의 강력한 경쟁력은 이용자가 스마트폰, 태블릿PC, 데스크탑, 랩탑, 스마트TV, 게임 콘솔, 셋톱박스를 막론하고 무엇으로든 접근할 수 있으며, 고화질로 스트리밍 영상을 즐길 수 있다는 것이다. 이러한 강점 덕분에 넷플릭스의 전 세계 가입자 수는 2020년 1분기를 기준으로 1억8,800만 명을 돌파했다. 한국에서도 유료 영상 콘텐츠 분야에서 밀레니얼 세대와 Z세대가 가장 사랑하는 브랜드 1위로 꼽혔다.

밀레니얼 세대에게 넷플릭스와 같은 유료 구독 서비스에 돈을 지불하는 것은 매우 익숙한 일이다. 2019년 정보통신정책연구원의 보고서에 따르면 18~24세의 34.5%, 25세~34세의 32.9%, 35~44세의 16.6%가 유료 디지털 콘텐츠를 이용한다. 물론 이 데이터가 구독 서비스를 이용하는 비율을 의미하지는 않는다. 하지만 차별화된 가치를 얻을 수 있다면 눈에 보이는 물건이 아닌 '서비스'라도 흔쾌히 구매하는 밀레니얼 세대의 경향을 잘 보여준다.

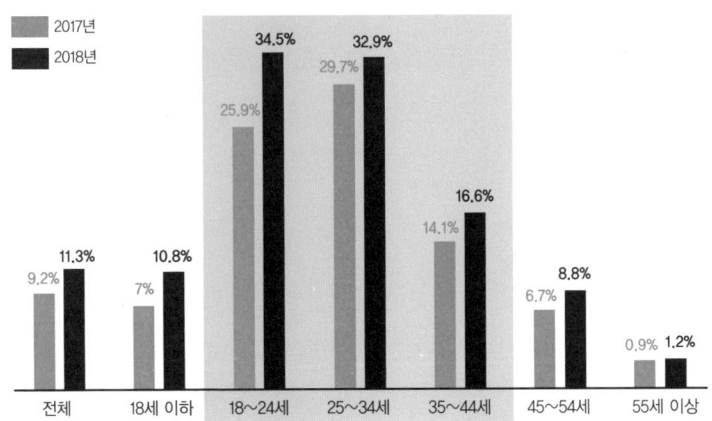

● 연령대별 디지털 콘텐츠 유료 서비스 이용 비율

출처: 정보통신정책연구원

159

유료 디지털 서비스가 본격적으로 늘어나면서 이 서비스의 주요 고객층인 밀레니얼 세대에게는 '정당하게 돈을 내고 서비스를 이용해야 한다'는 인식이 자리 잡고 있다. 또한 소유보다는 경험을 선호하는 이 새로운 세대는 삶의 많은 부분을 구독 서비스를 통해 채우고자 한다. '사용한 만큼의 가치'를 지불하는 구독경제는 무언가를 소유하지는 않지만 필요한 만큼만 이용할 수 있기 때문에 오히려 경제적이다. 특히 디지털 콘텐츠의 경우 서비스 기간 내에 무제한으로 이용할 수 있는 경우가 많아서 이를 잘 활용한다면 큰 만족감을 느낄 수 있다.

밀레니얼 세대에게 이 '만족감'이란 '비용을 지불할 만한 가치가 있는 경험'을 의미한다. 전통적인 비즈니스 모델을 지닌 상품경제에서는 모든 것의 중심이 제품이고 최대한 다양한 유통 채널을 통해 많은 물량을 판매하는 데 집중한다. 그러나 구독 서비스는 이용자가 서비스를 이용하는 동안 최상의 경험을 누릴 수 있도록 하는 것이 핵심이다. 그러므로 구독 서비스 제공자는 이용자가 어떤 사람이고, 어떤 관심사를 가졌으며, 어떻게 행동하는지에 대한 상세한 데이터를 확보하고 개인화된 경험을 전달하기 위해 애쓴다.

이와 관련해 티엔 추오는 "소비자들이 가치를 평가하는 시각이 과거와 달라지면서 소유 대신 접근, 물건이 아닌 경험, 제품보다 서비스에 대한 수요가 증가하고 있다"라고 언급했다. 이는 구독경제의 부흥을 이끌고 있는 밀레니얼 세대의 욕구를 잘 대변한다. 구독 서비스를 이용하는 밀레니얼 세대가 소비하는 가치는 단연 소유보다 '접근'이기 때문이

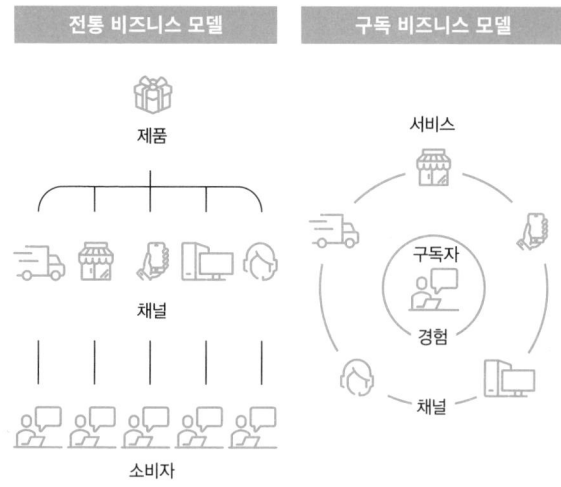

출처: 티엔 추오 & 게이브 와이저트

다. 그리고 구독경제를 기반으로 비즈니스 모델을 구축한 기업들은 접근에 대한 값을 매긴다. 즉 기업은 고객에게 경험 서비스를 제공하고, 그 비용을 청구하는 것이다.

2) 구독경제가 밀레니얼 세대를 사로잡은 세 가지 이유

구독경제의 확산은 밀레니얼 세대의 학습 방식에도 많은 영향을 미치고 있다. 급격하게 늘어나는 지식과 정보의 홍수 속에서, 자신에게 최적화된 지식 서비스를 제공하는 이들에게 비용을 지불하기 시작했기 때문이다. 지식의 요람 역할을 하던 대학이 산업의 변화 속도를 따라가지 못하고, 개개인이 지닌 배움에 대한 열망을 오롯이 충족시킬 수 없게 되면서 불모지와 같았던 유료 지식 콘텐츠 시장이 크게 성장하고 있다.

구독경제는 영상, 음악, 게임, 소비재 시장에서 두드러지지만, 지식 콘텐츠 분야 역시 이 거대한 파도에 올라타 있다. 가장 먼저 이 흐름을 받아들인 것은 바로 신문, 즉 언론이다.

신문은 오랜 기간 동안 '뉴스'라는 형태로 지식을 전달하는 매개체 역할을 했다. 실제로 우리는 저널리즘이 위기에 빠졌다고 하는 오늘날에도 뉴스를 통해 필요한 지식을 얻는다. 물론 밀레니얼 세대의 뉴스 소비는 지면이 아닌 모바일 기기, 그것도 개별 언론사의 홈페이지가 아니라 네이버 같은 포털이나 페이스북 같은 SNS 플랫폼, 또는 유튜브 같은 영상 플랫폼에서 주로 이루어진다는 점이 다르다.

뉴스라는 콘텐츠를 제공하고, 이를 소비하는 구독자에게 광고를 노출하여 수익을 올리던 신문사에게 이러한 변화는 골칫거리였다. 뉴스가 광고 채널로서 기능하기 위해서는 구독자가 지면이든 온라인이든 신문사가 마련한 공간에 직접 들어와야 한다. 하지만 요즘 사람들은 지면 신문을 구독하지도 않으면서 포털과 SNS 플랫폼 통해 뉴스를 거저 소비한다. 이로 인해 포털과 SNS 플랫폼이 더욱 매력적인 광고 채널로 부상했고, 언론사의 수익 악화는 멈출 수 없게 되었다.

하지만 《월스트리트저널》이나 《뉴욕타임즈》와 같은 해외 언론들은 위기 상황을 구독 모델로 돌파하고 있다. 특히 《뉴욕타임즈》는

2020년 2분기 기준 570만 명이 넘는 디지털 구독자를 확보하고 있으며, 이는 종이 신문 구독자를 포함한 전체 구독자 약 650만 명의 약 87.7%에 이르는 수치이다. 디지털 구독이 종이 신문 구독을 압도하고 있는 것이다. 이러한 성장세 덕분에 2025년까지 유료 구독자 수를 1,000만 명까지 늘리겠다는 《뉴욕타임즈》의 목표는 달성 가능성이 더욱 높아졌다.

《뉴욕타임즈》가 성공적인 구독 모델을 구축할 수 있었던 핵심 요인은 '돈을 지불할 만한 가치가 있는 뉴스를 생산하는 것'이다. 이는 2019년 개최된 세계뉴스미디어총회World News Media Congress 2019에서 《뉴욕타임즈》의 CEO였던 마크 톰프슨Mark Thompson이 한 이야기에 축약되어 있다. 그는 "뉴스룸에 투자하고 세계 최고의 저널리스트를 모아 깊이 있는 제품을 만든다면 사람들은 그 기사를 사랑하게 되고 흔쾌히 지갑을 열 것이다. 이것을 다시 투자해 더욱 고급스러운 콘텐츠를 만드는 것이다"라고 강조했다. 다시 말해 어디에서도 볼 수 없는 깊이 있는 콘텐츠를 생산한다면 구독자를 확보할 수 있고, 여기서 발생한 수익을 다시 콘텐츠에 투자함으로써 선순환 구조를 만들어야 한다는 것이다.

이 선순환은 깊이 있는 분석이 담긴 콘텐츠를 지속적으로 제공함으로써 구독자들이 자신이 지불한 금액만큼의 가치를 느끼게 만든다. 또한 《뉴욕타임즈》를 구독해야만 얻을 수 있는 깊이 있는 분석이 있다는 확신을 주고 구독 해지를 억제한다. 이러한 구독 모델은 유료라는 점에서 확장성에 한계가 있으나, 열렬한 고객층이 생긴다는 점에서 많은 관

● 뉴스 미디어의 광고 기반 모델 vs. 구독 기반 모델

	광고 기반 모델	구독 기반 모델
핵심 인력	영업 인력	기자
핵심 지표	도달 가능한 청중의 범위 (대부분 독자 관련한 지표는 없음)	독자 참여(Engagement), 구독 전환율, 구독을 유지하는 비율 등
장점	다수에게 콘텐츠 배포 가능	– 깊이 있는 분석 – '독자 증가 → 매출 증가 → 기자 인력 확충 → 고급 콘텐츠 확보 → 독자 증가 → 매출 증가'라는 선순환(Virtuous cycle) 창출 가능
한계점	– 무조건 도달 범위가 넓어야 하기 때문에 깊이 있는 분석에 한계가 있음 – 자극적인 제목 뽑기에 집중하게 됨 – 진짜 독자들을 놓치게 됨	확장성에 한계 (제한된 고객만 확보 가능)
시장 환경	디지털 광고 시장을 독점하고 있는 페이스북, 구글의 규모와 시장점유율이 더욱 공고해지고 있어 광고 기반 모델을 추구하는 뉴스 미디어 사업자들의 입지가 좁아지고 있음	넷플릭스가 가져다 준 학습 효과로서, 정보나 엔터테인먼트에 온디맨드로 접근하려는 소비자 트렌드가 독자의 지갑을 열고 있음. 즉 깊이 있는 분석에 대한 지불 의향이 과거보다 증가하고 있음

출처: 로아컨설팅

심을 받고 있다.

이 사례를 저널리즘의 영역으로 국한하기에는 시사하는 바가 크다. 밀레니얼 세대의 학습 습관이 어떻게 바뀌고 있는지를 잘 보여주기 때문이다. 성장을 갈망하고 지식을 탐닉하는 이 새로운 세대는 정보의 홍수에 익숙하며, 가치 있는 콘텐츠에 주저 없이 투자하는 특성을 지녔다. 어디에서나 찾아볼 수 있는 지식 콘텐츠, 쉽게 접근할 수 있는 정보는

이들에게 가치가 없다. 만약 특정 채널에서만 깊이 있는 분석과 경험을 머금은 지식 콘텐츠를 접할 수 있다면 이들은 기꺼이 돈을 지불한다.

그 배경에는 폭증하는 지식의 양과 너무나도 바쁜 현대의 삶이 자리한다. 수많은 지식과 정보가 넘쳐나는 환경에서 나에게 필요한 양질의 지식 콘텐츠를 골라내는 것은 여간 힘든 일이 아니다. 현대인에게 이러한 노력을 기울이는 일은 매우 벅차다. 그리고 이러한 '불편'은 언제나 비즈니스의 기회가 된다. 만약 어떤 사람이나 기업이 이러한 수고, 즉 수준 높은 지식 콘텐츠를 정제해주는데 그 결과물의 질과 만족도 역시 높다. 그리고 그 콘텐츠는 나에게 꼭 필요한 것이다. 그렇다면 당신은 어떻게 하겠는가? 성장을 욕망하는 밀레니얼 세대가 지갑을 열지 않을 이유가 없다.

바로 이런 이유로 구독 모델 기반의 유료 지식 콘텐츠 시장은 유례없이 성장하고 있다. 더불어 이 험지를 개척하는 이들도 속속 등장하고 있다. 각계각층의 전문가가 작성한 디지털 리포트와 이들이 추천하는 뉴스를 제공하는 퍼블리, 젊은 혁신가를 위한 콘텐츠 커뮤니티를 지향하며 깊이 있는 텍스트 콘텐츠를 제공하는 북저널리즘Book Journalism, 월 정기구독을 통해 어려운 IT 소식을 쉽고 재미있게 풀어주는 아웃스탠딩Outstanding, 수만 권의 책을 이북으로 즐길 수 있는 밀리의서재, 15년간 디즈니Disney를 이끈 로버트 아이거Robert Iger 나 요리사 고든 램지Gordon Ramsay 같은 최고 전문가들의 온라인 강의를 구독할 수 있는 마스터클래스Masterclass 등이 그 주인공이다.

이들이 밀레니얼 세대를 사로잡을 수 있었던 첫 번째 이유는 '경제성'이다. 구독 모델 기반의 유료 지식 콘텐츠 서비스는 대부분 일정 금액을 납부하면 일정 기간 동안 모든 콘텐츠를 무제한으로 이용할 수 있다. 지불 금액보다 더 많은 콘텐츠를 이용할 경우 경제적인 가격에 큰 만족을 얻을 수 있다. "책 한 권 값으로 무제한 즐기는 독서"라는 밀리의서재의 소개 문구는 경제성이라는 특성을 오롯이 보여준다.

두 번째 이유는 '매력적인 콘텐츠'다. 디즈니는 자사의 지적재산권인 마블Marvel 시리즈를 넷플릭스에 공급하지 않기로 결정했다. 넷플릭스와 유사한 자사의 영상 스트리밍 서비스, 디즈니플러스Disney+의 경쟁력을 확보하기 위해서다. 즉 이미 넷플릭스를 이용하고 있더라도 마블 영화를 보고 싶다면 디즈니 플러스에 가입하도록 유인하는 것이다. 넷플릭스가 오리지널 콘텐츠 제작에 많은 투자를 하는 것 역시 콘텐츠 경쟁력이야말로 구독 서비스에서 가장 중요한 요소이기 때문이다.

《뉴욕타임즈》 사례에서 살펴본 바와 같이, 유료 지식 콘텐츠 서비스의 핵심은 단연 어디에서나 찾아볼 수 없는 고품질의 콘텐츠를 생산하는 것이다. 밀레니얼 세대의 소비를 이끌어내기 위해서는 검색만으로는 접하기 어려운, 심층적인 분석을 얻을 수 있는 차별화된 콘텐츠를 마련해야 한다. 이와 함께 해당 서비스에서만 접할 수 있는 독점적인 콘텐츠를 확보하는 것도 매우 중요하다. 북저널리즘이 《이코노미스트》와 《가디언The Guardian》의 콘텐츠를, 리디셀렉트가 《뉴욕타임즈》, 《비즈니스인사이더Business Insider》, 《파이낸셜타임즈》의 아티클을, 밀리의서재가

김훈 작가나 김영하 작가의 신작 소설을 독점 제공하는 것은 기존 독자를 붙잡는 한편 새로운 독자를 확보하기 위한 전략이다.

세 번째 이유는 '개인화'다. 개개인이 가장 원하고 즐길 수 있는 콘텐츠를 정기적으로 제공하기 위한 전제 조건은 개인화 서비스이다. 밀레니얼 세대가 유료 지식 콘텐츠를 구독하는 이유는 명백하게 자신들의 수고, 즉 고품질의 지식과 정보를 찾는 데 필요한 시간과 노력을 덜고 싶어서다. 이러한 효용을 느끼지 못하면 이용자는 거리낌 없이 구독을 해지한다. 그래서 많은 서비스 제공자들은 이용자가 기입한 직무 정보를 바탕으로 커리어에 도움이 될 만한 콘텐츠, 주로 열람하는 콘텐츠와 유사한 분야의 콘텐츠를 추천하거나 이어서 읽기 기능을 제공하는 등 최상의 경험을 제공하기 위해 부단히 노력한다.

다양한 유료 지식 콘텐츠의 출현은 밀레니얼 세대가 지식을 섭식하는 데 최상의 환경이 갖춰졌음을 의미한다. 기업은 양질의 지식 콘텐츠에 접근할 수 있는 권한을 팔고, 밀레니얼 세대는 합당한 가격이라고 생각한다면 기꺼이 돈을 지불하고 그것을 산다. 서비스 방식이 구독 모델이라는 것 역시 넷플릭스를 경험한 이들에게는 매우 익숙하다. 모든 산업군이 그러하듯이 기술적 성숙도와 소비 패턴의 변화는 라이프스타일을 혁신한다. 배움의 습관 역시 예외일 수 없다.

03

소셜 살롱 :
함께 배우는 피어러닝

심포지엄symposium은 하나의 주제를 두고 각기 다른 입장의 사람들이 의
견을 발표하고 청중의 질문에 답하는 방식의 집단 토론회다. 기업, 공공
기관, 대학이나 학술단체가 주최하는 행사에서 많이 접할 수 있는 용어
지만, 이것이 함께 술을 마신다는 뜻의 그리스어 '심포시아symposia'에서
비롯되었다는 사실은 잘 알려지지 않았다. 그리스 철학자 플라톤Plato이
저술한 《향연》의 원제인 'Symposion'과 같은 언어적 뿌리를 가지고
있는 것이다. 《향연》은 소크라테스를 비롯한 참석자들이 저마다 사랑에
대해 일장 연설을 늘어놓는 이야기를 담았다. 사람들이 모여 대화와 토
론을 하며 사교를 즐기는 것, 그것이 바로 고대 그리스부터 오늘날까지

이어져온 심포지엄이다.

심포지엄은 유럽, 특히 18세기 프랑스의 살롱salon 문화를 움트게 한 토대라고 평가받는다. 어느 시대나 지식인들과 예술가들은 정치, 문화, 철학의 흐름을 읽고자 했으며 모여서 함께 책을 읽거나 신문물에 대해 토론하거나 그림을 감상하고 음악회를 열면서 지적인 유희를 즐겼다. 살롱은 이와 같이 문화를 향유하고 다른 이들과 교류하는 경험을 할 수 있는 물리적 공간이자 커뮤니티 역할을 했다.

오늘날 이 살롱 문화는 '소셜 살롱' 또는 '커뮤니티 비즈니스'라는 이름의 서비스로 재탄생했다. 매달 한 권의 책을 읽고 다른 이들과 토론하는 독서 모임 '트레바리', 여러 사람이 함께 모여 좋아하는 것을 나누는 취향 공동체 '문토', 직장인 네트워크를 중심으로 지식과 경험을 나누는 하버드비즈니스리뷰포럼Harvard Business Review Forum Korea, HFK, 여자들의 커리어 성장 플랫폼을 표방하는 '헤이조이스HeyJoyce' 등이 대표적인 소셜 살롱 서비스이다.

서비스마다 차이가 있지만 대다수의 소셜 살롱은 3~4개월 단위의 시즌제 멤버십을 운영하며, 멤버십에 가입한 이들은 소셜 살롱에서 제공하는 모임에 정기적으로 참가하는 등 혜택을 누릴 수 있다. '클럽장' 또는 '리더'라고 불리는 사람들이 프로그램을 기획하고 주제를 선정하여, 발제하고 모임을 진행하는 역할 등을 수행하며 모임을 이끈다. 소셜 살롱에 참여하는 사람들은 나이나 직업, 학력과 무관하게, 그리고 '누군가로부터 가르침을 받는다'는 인식 없이 수평적인 대화를 즐긴다. 개중에는 클럽장과 리더 없이 참가자들끼리 꾸려가는 모임도 있다. 참가자들은 자신의 좋아하는 책, 취향, 커리어에 대한 고민이나 전문 분야에 대한 지식을 매개로 다른 참가자들과 이야기를 나누고 교류한다.

여기까지는 흔히 볼 수 있는 '소모임'과 크게 다를 것이 없다고 생각할 수 있다. 그런데 이 소셜 살롱의 멤버십 서비스를 이용하기 위해서는 한 시즌에 10만 원에서 40만 원 대의 금액을 지불해야 한다. 대부분의 소셜 살롱 서비스가 격주 혹은 한 달에 한 번 정기모임을 갖는다는 점을 고려할 때, 이는 결코 적은 돈이 아니다.

언뜻 생각하면 서로 이야기를 나누거나, 책을 함께 읽거나, 요리, 음

● **트레바리 멤버 수와 클럽 수 증가 추이**

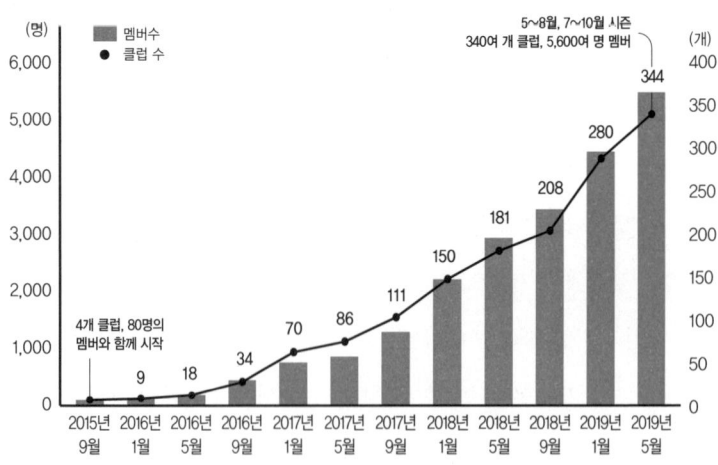

출처:《동아비즈니스리뷰》

악, 글쓰기, 영화 등 취향을 공유하는 데 적지 않은 비용을 내는 것이 의아할 수 있다. 그러나 이 서비스는 밀레니얼 세대의 열광적인 지지를 받으며 성장하고 있다. 성장 추이를 살펴보았을 때 엄연히 비즈니스다. 일례로 2015년 9월에 네 개의 클럽과 80명의 멤버로 시작했던 트레바리는 2019년 5월, 340여 개의 클럽과 5,600여 명이 참여하는 거대한 커뮤니티로 거듭났다.

시간이 지나며 성장폭은 증감할 수 있지만, 밀레니얼 세대를 중심으로 많은 사람들이 이러한 서비스에 기꺼이 지갑을 열고 있다는 사실은 매우 인상적이다. 이러한 변화의 배경으로 2018년 〈근로기준법〉이 개정되며 주당 최대 노동시간이 68시간에서 52시간으로 줄어든 점, 줄어든 노동시간만큼 개인의 여가시간이 늘어난 점, 이 여가시간을 취미생활이나 자기 계발과 같은 배움에 투자한다는 점 등이 꼽힌다. 또한 페이스북이나 인스타그램Instagram 등 SNS를 통해 맺은 가볍고 피상적인 인간관계에 지친 밀레니얼 세대가 가진, 좁지만 깊은 교류에 대한 갈증을 소셜 살롱이 채워주기 때문이라는 분석도 있다.

다만 2020년 코로나바이러스감염증-19의 대유행으로 인해 오프라인 모임에 많은 제약이 생겼고, 이 때문에 소셜 살롱의 성장세도 한풀 꺾였다. 그러나 적지 않은 소셜 살롱 서비스들이 잇따라 온라인 프로그램을 런칭하면서 위기를 극복해가고 있고, 이러한 '진화'는 밀레니얼 세대에게 또 다른 형태의 학습 경험을 제공하고 있다.

우리가 조금 더 깊이 들여다보아야 할 문제는 '밀레니얼 세대가 왜

군이 소셜 살롱에서 배움을 찾는가'이다. 지금까지 살펴본 바와 같이 이 새로운 세대는 아주 적극적인 학습자이기는 하지만 디지털 기술의 힘을 빌려 자신에게 필요한 지식과 정보를 찾아낼 수 있는 사람들이다. 그런데 왜 이들은 적지 않은 돈을 들여가며 정기적인 모임에 참가하는 번거로움을 감수할까? 그 이유는 '대화'와 '관계'를 통한 배움이 매우 만족스러운 경험을 선사하기 때문일 것이다.

1) 대화를 통한 배움

프랑스의 정치 사상가이자 법률가였던 샤를 몽테스키외Charles de Montesquieu 는 "살롱을 열었다"를 "대화를 주도한다"와 동일한 말로 여겼다. 17세기까지만 해도 귀족들의 문화로 여겨졌던 살롱을 18세기에 접어들면서 신흥계급인 부르주아들이 활성화했다. 이때부터 살롱은 남녀노소, 신분과 직업을 불문하고 많은 이들이 출입하는 장소로 변모했으며, 문학과 철학, 미술, 음악 등 여러 가지의 주제를 두고 대화하고 토론하는 장소로 자리 잡았다. 이처럼 살롱 문화의 중심은 단연 '대화'다.

하나의 주제를 두고 다른 이들과 대화하는 것은 살롱 본연의 목적과는 상관없이 매우 큰 학습 효과를 지닌다. 지금까지 거듭 강조해왔듯이 집단 토의, 연습, 가르치기와 같이 참가자가 적극적으로 참여하는 배움, 그리고 타인과의 상호작용을 통한 학습은 그 효과가 매우 강력하다. 밀레니얼 세대는 이러한 학습 경험을 선호하는 편이다. 링크드인 러닝의 조사 결과에 따르면, 이 새로운 세대의 72%와 Z세대의 63%는 무언

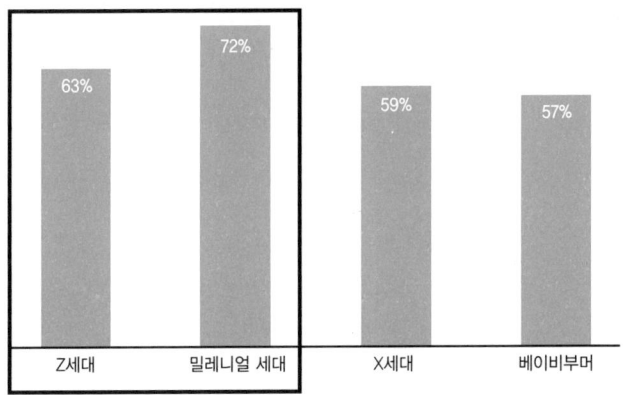

● 교육을 받을 때 강사나 다른 학습자와의 교류·협력을 선호하는 비율

63%	72%	59%	57%
Z세대	밀레니얼 세대	X세대	베이비부머

출처: 링크드인 러닝

가를 배울 때 강사 또는 다른 학습자들과의 질의응답, 포럼, 집단 토론 등을 통해 상호작용하는 것에 큰 가치를 둔다. 이러한 요즘 직장인들에게 소셜 살롱에서의 깊은 대화와 교류는 강력한 무형식 학습이 될 수 있다.

이러한 학습 경험은 동료를 통한 배움, 즉 피어러닝에 해당한다. 온라인이나 오프라인에서 인문, 과학과 기술, 경영과 경제, 사회 이슈 등의 주제는 물론이고 미래 사회나 자신의 커리어에 대해 이야기를 나누는 것, 여러 사람들과 무언가를 만들어보거나 함께 글을 써보는 것, 이 과정에서 각자의 의견을 공유하는 것, 몰랐던 사실을 서로 알려주는 것, 대화의 끝에 새로운 결론을 도출하는 것 등이 더 깊고 밀도 있는 학습으로 이어질 수 있기 때문이다.

특히 이러한 연대는 경험을 갈구하는 밀레니얼 세대에게 더 없는 배움을 선사한다. 이들은 각자의 관점과 경험을 나누는 소셜 살롱을 통해 '앎'을 넘어 '배움'으로 나아갈 수 있다. 넘쳐나는 지식과 정보에 만족하지 않고 진짜배기 실력을 원하는 요즘 직장인들에게 이와 같은 과정은 귀한 학습 경험이 된다.

소셜 살롱이 밀레니얼 세대의 사랑을 받으면서, 한층 더 전문적이고 심도 있는 배움을 추구하는 모임들도 늘어나고 있다. 일례로 브랜드를 좋아하는 사람들의 커뮤니티를 지향하는 비마이비B My B는 참가자들이 다양한 브랜드를 경험하고, 자신이 좋아하는 브랜드에 대한 생각을 나눌 수 있는 모임을 제공한다. 비마이비에 참여하는 사람들은 평소에 애정을 가지고 있는 브랜드 관계자들의 강연을 듣거나 그들과 토론할 수 있으며, 동종 업계는 물론 다른 업계에서 종사하는 사람들과 다채로운 관점을 공유하며 입체적인 학습을 경험한다.

중앙일보의 폴인fol:in 역시 일의 미래, 산업의 변화, 라이프스타일 등을 주제로 현장의 전문가들의 통찰이 담긴 디지털 콘텐츠, 그들과 온/오프라인에서 교류할 수 있는 기회, 그들과 함께 3개월 동안 산업의 변화를 깊이 있게 공부할 수 있는 스터디 모임을 유료로 제공한다. 이 경험을 통해 참가자들은 지식을 얻을 뿐만 아니라 함께 경험하고 상호작용하며 배운 바를 현업에 적용하거나 일터에서 마주하는 과제를 해결할 아이디어를 얻을 수 있다. 이를 통해 미래를 조망하고 자신의 커리어에 대한 계획을 촘촘하게 세울 수 있음은 물론이다.

이처럼 교육적 성격을 띤 서비스가 등장하면서, 소셜 살롱은 평생 학습 분야의 한 모델로 자리 잡아가고 있다. 밀레니얼 세대에게 필요한 지식과 정보는 예전처럼 모범 사례를 축적하고 분석하여 이론으로 정립한 것이 아니다. 이들이 갈망하는 것은 오랜 숙성 기간을 거쳐 생성된 지식이 아닌, 자신의 일터나 업무에 빠르게 적용할 수 있는 날것 그대로의 경험이다. 소셜 살롱은 타인의 경험을 접할 기회를 만들어주고, 상호작용을 통해 빠른 속도로 이를 정제하고 내 것으로 만들 수 있도록 돕는다. 그리고 이는 세상의 변화에 민감하고 일잘러로 거듭나기를 원하는 밀레니얼 세대에게 매우 가치 있는 일이다.

2) 관계 맺기로 함께 성장하기

밀레니얼 세대가 소셜 살롱을 찾는 또 다른 이유는 '관계 맺기'를 바라기 때문이다. '관계 맺기' 욕구에 대해 '현대인의 외로움'에 무게를 두는 분석들이 있다. 소셜 살롱이 명사를 만날 수 있는 기회를 제공하기 때문에 많은 사랑을 받는다는 시각도 있다. 그러나 여기에서 주목하는 것은 '성장에 대한 고민을 나누는 피어러닝'이다.

앞서 살펴본 바와 같이 성장을 갈망하는 밀레니얼 세대는 일터에서 멘토를 원하고, 일머리를 배우기를 바라며, 동료들과 함께 일하면서 그들의 경험을 먹고 무럭무럭 자라나고 싶어 한다. 이러한 상호작용이 일어나는 순간이 바로 내가 수행한 업무에 대해 피드백을 받고 향후 커리어 개발에 대해 의논할 때다. 이 과정에서 밀레니얼 세대는 좋은 평가를 받는 것보다 자신의 강점과 약점을 발견하고 이를 강화하거나 극복할 수 있는 길을 찾기를 더 원한다.

창의적리더십센터의 제니퍼 딜과 앨릭 레번슨의 연구에 따르면 밀레니얼 세대는 상사나 동료들과 '얼굴을 마주보고' 이런 대화를 하고 싶어 한다. 이들은 일을 할 때 '관계'에 많은 가치를 부여하며, 일터에서 친구, 자신에게 관심을 보여주는 상사, 소속감을 느낄 수 있는 조직을 원한다. 하지만 불행히도 밀레니얼 세대의 20~40%는 상사나 조직이 관계 맺기나 커뮤니티에 대한 욕구를 충족시켜주지 못한다고 여긴다.

일터에서 끈끈한 유대감이나 만족할 만한 업무 경험을 기대하기 어

● **밀레니얼 세대가 피드백을 받거나 커리어 계획을 의논할 때 선호하는 방법**

가장 선호하는 커뮤니케이션 유형	성과 평가 피드백을 받을 때	커리어 계획에 대해 의논할 때
대면	92%	95%
전화	5%	3%
이메일	2%	2%
메신저	1%	0%
문자	0%	0%
소셜 네트워크	0%	0%
화상채팅	0%	0%

출처: 제니퍼 딜 & 알렉 레빈슨

렵고, 자신을 지지해줄 상사나 커리어에 대한 고민을 나눌 만한 사람이 없다고 느끼는 밀레니얼 세대는 어떤 선택을 할까? 사람에 따라 다르겠지만 소셜 살롱과 같은 커뮤니티가 훌륭한 대안이 될 수 있다. 온라인 또는 오프라인 공간에서 서로 이야기를 나누고, 나의 말을 들어주는 사람들이 있음을 느끼며, 지식과 경험을 나누는 과정은 밀레니얼 세대가 각자의 일터에서 채우지 못하는 욕구를 충족할 수 있다.

이런 이유로 소셜 살롱이 제공하는 '관계 맺기'라는 가치를 단순히 외로움을 채우기 위한 수단이나 명사와의 만남 정도로 치부하는 것은 곤란하다. 물론 많은 소셜 살롱들이 서비스의 경쟁력을 극대화하기 위해 이름 있는 전문가나 매력적인 사람을 초빙하려고 애쓴다. 경제적·시간적 여유가 충분한 사람들이 아니면 동시에 여러 개의 소셜 살롱 멤버십에 가입하기가 쉽지 않은 만큼 특정 분야의 전문가를 독점 섭외하여 고객의 선택을 받으려는 것이다. 소셜 살롱은 평소에 만나기 어려운 사람들과 교류할 수 있다는 것으로 차별화된 가치를 만든다.

그러나 더 중요한 것은 성장을 욕망하는 요즘 직장인들이 소셜 살롱에서 커리어에 대한 고민을 나누고 답을 구할 수 있다는 점이다. 각 소셜 살롱의 특성에 따라 편차가 있지만, 일터보다 이해관계가 약하고 훨씬 느슨하면서도 동등한 관계를 추구하는 커뮤니티이기에 얻을 수 있는 경험이다. 소셜 살롱에 참여하는 사람들은 서로가 어떻게 일하는지 속속들이 알 수는 없지만, 확고한 취향과 관심 주제, 또는 비슷한 과제나 고민을 안고 있는 사람들끼리 교류함으로써 새로운 관점과 생각

거리를 얻기에 충분하다.

이와 같은 가치를 제공하는 대표적인 소셜 살롱은 일하는 여성들을 위한 커뮤니티 서비스를 제공하는 '헤이조이스'와 '빌라선샤인'이다. 밀레니얼 여성들은 일과 성장에 대한 강한 욕망을 가지고 있지만, 일터와 사회에서 마주하는 고민들, 특히 커리어에 대한 이야기를 나눌 수 있는 채널이 많지 않았다. 헤이조이스와 빌라선샤인은 바로 이 지점에서 밀레니얼 여성들의 수요를 충족시킬 수 있는 소셜 살롱 서비스를 런칭했다.

헤이조이스에 따르면 멤버십에 가입한 회원의 55% 정도가 20대, 35% 정도가 30대이다. 빌라선샤인 역시 밀레니얼 세대 여성을 위한 커뮤니티 서비스를 표방하며, 커뮤니티 내 교류를 통해 새로운 기술을 배우고 문제를 해결할 수 있도록 지원한다. 멤버십 가입사들은 커리어 개발을 위한 강연, 롤모델로 삼을 수 있는 커리어 우먼이나 각자가 몸담고 있는 분야에서 활동하고 있는 여성 전문가와의 만남, 일하는 여성들 간의 네트워킹 프로그램 등을 제공받는다. 이 과정에서 여성들은 다른 여성들로부터 공감과 지지, 일에 대한 전문적인 피드백과 커리어에 대한 조언, 업무에 도움이 되는 인적 네트워크 등을 얻을 수 있다.

이처럼 소셜 살롱은 '대화'와 '관계 맺기'를 통해 지식과 정보보다 더 많은 학습 경험을 얻을 수 있는 공간이자 커뮤니티이다. 밀레니얼 세대가 만만치 않은 돈을 지불하며 소셜 살롱에 참여하는 이유는 그들의 성장 욕구가 매우 강한데 일터에서는 이를 충족시키지 못하는 반면,

소셜 살롱은 참가자들과 함께 성장할 수 있는 기회를 제공하기 때문이다. 이러한 학습 지형의 변화는 생각보다 빠르게, 그리고 광범위하게 새로운 세대의 학습 습관을 혁신하고 있다.

04

MOOC와 마이크로크리덴셜 : 스킬갭을 메우는 N개의 학위

2012년 11월,《뉴욕타임즈》는 2012년을 "MOOC의 해"로 선언했다. 1세대 MOOC인 코세라, 에덱스, 유다시티가 모두 2012년에 설립되었기 때문이다. MOOC는 '많은 사람들에게 개방되어 있으며 온라인 기반으로 학습할 수 있는 교육과정'를 의미한다. 이를 두고 미국의 시사주간지《타임 TIME》은 "MOOC가 대중을 위한 아이비리그 Ivy League를 열었다"라고 평가했다.

사실 2012년 이전에도 대중이 대학에서 제공하는 무료 온라인 강의를 접할 수는 있었다. MIT는 오픈코스웨어 Open Course Ware, OCW 프로젝트를 수행하던 2002년, 강의 콘텐츠 일부를 온라인에 공개했다. 이때만 해도 대학 강의 동영상과 자료를 온라인상에 공유하는 정도에 불과했다. 그러나 MOOC는 기본적으로 온라인 공간에 토론 게시판과 같은 커뮤니티를 만들고 교수와 학생이 상호 교류할 수 있다는 점에서, 그리고 오프라인 교육에서와 마찬가지로 퀴즈, 과제, 시험 등을 온라인 환경에서도 수행할 수 있다는 점에서 진일보한 모델이다. 그뿐 아니라 학습 관리 시스템Learning Management System, LMS으로 학습자들의 진도나 성적과 같은 학사 정보 전반과 학습 콘텐츠의 개발이나 관리 등을 통합하여 제공한다.

MOOC가 많은 사람들의 주목을 받는 이유는 단연 무료 또는 저렴한 비용으로 세계 최고의 교육을 받을 수 있기 때문이다. 코세라의 경우 예일대학교Yale University, 스탠퍼드대학교, 펜실베이니아대학교University of Pennsylvania, 구글, IBM, 아마존, 보스턴컨설팅그룹 등 세계적인 수준의 대학과 기업에서 제공하는 온라인 강좌를 서비스한다. 2020년 8월을 기준으로 코세라는 50여 개국에 210개가 넘는 파트너를 보유하고 있으며, 4,700개 이상의 교육과정을 제공하고 있다. 에덱스나 유다시티 역시 학계와 산업계를 관통하는 폭넓은 파트너십을 구축하고 있으며, 누구나 이 서비스를 통해 양질의 지식을 얻을 수 있다. 컴퓨터 공학, 데이터 과학, 비즈니스, 인문, 예술, 기초 학문 등 다양한 영역에 대해 학습할 수 있다는 점 역시 매우 매력적이다.

한국에서도 이러한 흐름에 따라 한국형 MOOC 플랫폼을 잇따라 런칭했다. 국가평생교육진흥원의 K-MOOC, 경기도평생교육진흥원의

G-SEEK, 한국교육학술정보원의 KOCW가 대표적이다. 카이스트, 서울대학교, 숙명여자대학교 등 많은 대학도 온라인 공개 강좌를 제공하고 있다. 특히 대학의 경우 글로벌 MOOC 플랫폼과의 파트너십을 통해 한국은 물론 전 세계 학습자들에게 양질의 교육 콘텐츠를 공급하고 있다.

그러나 MOOC는 낮은 수료율로 인해 오랫동안 교육 효과성을 의심받아왔다. MIT 교수시스템연구소Teaching Systems Lab의 저스틴 라이시Justin Reich와 호세 루이페레즈발리엔테José A. Ruipérez-Valiente는 2012년부터 2018년까지 에덱스의 학습 데이터를 분석했다. 그 결과 2017~2018년의 수료율은 3.13%에 그쳤다. 이는 2014~2015년의 수료율 6%보다 낮은 수치이다. 양질의 교육과정을 개발하고 학습 경험을 증진시키기 위해 투자하고 있음에도 불구하고 수료율이 감소한 것이다.

다행히 MOOC는 다양한 수익화 전략을 통해 지속 가능한 서비스로 진화하고 있다. 교육 분야의 지각 변동으로 여겨지던 MOOC가 한계에 봉착했다는 평가도 있었지만 수익을 낼 수 있는 채널을 다양하게 발굴하여 학습자들에게 더 큰 가치를 제공하게 된 것이다. MOOC 플랫폼마다 수익 구조는 조금씩 다르지만, MOOC 생태계 연구와 정보 공유를 위한 포털 서비스를 제공하는 클래스센트럴Class Central의 CEO 디월 샤Dhawal Shah는 이를 여섯 가지 모델로 정리했다.

첫 번째는 무료 모델이다. 학습자는 모든 과정을 자유롭게 수강할 수 있으나 인증서를 발급받을 수는 없다. 두 번째는 단일 과정 인증서다. 과정마다 차이가 있지만, 학습자들은 일정 비용을 지불하고 단일 과정을 이수했다는 수료증을 발급받을 수 있다. 세 번째는 마이크로크리덴셜micro-credential이다. 학습자는 여러 개의 강의로 이루어진 일련의 프로그램을 이수하고 인증서를 발급받는다. 예를 들어 구글에서 제공하는 파이썬을 활용한 자동화 과정Google IT Automation with Python을 이수하면 실무 역량과 경력 자격을 증빙하는 인증서를 받을 수 있다. 네 번째는 학습자들이 취득한 마이크로크리덴셜을 실제 대학의 학점으로 인정해주는 모델이다. 다섯 번째는 온라인 학위이다. 대학과의 파트너십을 통해 수강생들에게 해당 대학의 석사 학위를 수여한다. 예를 들어 코세라에서 2만1,384달러를 지불하고 24~36개월동안 일리노이대학University of Illinois at Urbana-Champaign의 iMBA 과정을 수강하면 경영학 석사Master of Business Administration 학위를 받을 수 있다. 여섯 번째 모델은 기업 교육이다. 기업은 조직 구성원들의 역량 향상을 위해 MOOC의 플랫폼이나 콘텐츠를 공급받고 직무 역량을 증빙할 수 있는 마이크로크리덴셜을 발급한다. 또한 직무와 관련된 워크숍을 하거나 학습자들의 학습 데이터에 대한 분석 결과를 확인할 수 있다.

이러한 수익화 전략의 핵심은 '마이크로크리덴셜'이다. 마이크로크리덴셜은 특정한 산업 분야에서 필요로 하는 역량을 증빙하는 디지털 인증서이다. 이는 전문적인 분야의 요구 조건을 충족하는 교육 프로그램을 통해 지급되고, 작은 단위의 기술 숙련도를 증명한다는 점에서 전통적인 자격증과 차이가 있다. 또한 기업이나 고용주는 이 마이크로크리덴셜을 통해 해당 노동자가 일터에서 필요한 실질적인 역량을 갖추었다는 것을 확인할 수 있다.

영국의 MOOC 플랫폼 퓨처런_{FutureLearn}의 CEO 사이먼 넬슨_{Simon Nelson}은 마이크로크리덴셜이 부상하는 이유로 고등교육에 대한 수요 급증, 산업 전반에서 가속화하는 디지털 전환, 고등교육의 디지털화를 꼽았다. 이에 덧붙여 그는 "오늘날 커리어를 개발하기 위해서 지속적인 업스킬링이 필요하지만 더 이상 전통적인 학위를 따는 것만으로는 부족하다"라고 지적했다. 그의 이야기한 것처럼 노동자가 현재 보유하고 있는 스킬과 일터에서 필요로 하는 역량의 간극이 벌어지고 있지만, 지식의 유통기한은 짧아지고 있다. 더 이상 대학의 전공 교육이나 졸업장, 기존의 자격증은 현업에서의 역량을 '충분히' 보장하지 못한다. 이러한 상황에 마이크로크리덴셜이 스킬갭을 메울 수 있는 대안으로 떠오르고 있다.

이제 학습자들은 마이크로크리덴셜이나 온라인 학위 취득에 돈을 지불한다. 초창기 MOOC는 고품질의 강의를 무료로 제공했기에 많은 주목을 받았지만, MOOC의 수익성을 개선하고 교육 효과성을 제고하는 것은 유료 모델이다. 실제로 무료 강좌의 이수율은 10%에도 미치지 못하는 데 반해 마이크로크리덴셜이나 온라인 학위를 취득할 수 있는 유료 강좌의 이수율은 40~90%에 이른다.

이러한 수요에 힘입어 MOOC는 여전히 성장 중이다. 2019년을 기준으로 MOOC의 누적 수강생은 1억1,000만 명을 돌파했고, 900개

● 숫자로 본 2019년의 MOOC(중국 데이터는 제외)

110M
학생 수

900+
참여 대학 수

13.5K
교육과정 수

820
마이크로크리덴셜 수

50
MOOC 기반의 온라인 학위 수

출처: 클래스센트럴

● 2019년 주요 MOOC 플랫폼의 학습자, 마이크로크리덴셜, 온라인 학위의 수

	누적 학습자	교육 과정	마이크로크리덴셜	온라인 학위
코세라 (Coursera)	4,500만 명	3,800	420	16
에덱스 (edX)	2,400만 명	2,640	292	10
유다시티 (Udacity)	1,150만 명	200	40	1
퓨처런 (FutureLearn)	1,000만 명	880	49	23

출처: 클래스센트럴

이상의 대학이 MOOC와 파트너십을 맺고 있으며, 교육과정 수는 1만 3,500개를 넘어섰다. MOOC를 통해 제공되는 마이크로크리덴셜은 820개 이상이며, 온라인 학위 수는 50개이다.

　더욱이 코로나바이러스감염증-19 사태로 인해 MOOC 가입자가 폭증하고 있다. 일례로 코세라는 2020년 3월 중순부터 5월 중순까지 두 달간 신규 가입자가 1,000만 명에 달했다. 이는 2019년의 같은 기간과 비교했을 때 일곱 배에 이르는 수치이다.

MOOC의 글로벌 시장 규모의 확대 추세는 시장조사기관 마켓앤마켓이 2018년에 발간한 보고서를 통해 확인할 수 있다. 이 연구는 전 세계 MOOC 시장이 연평균 성장률 40.1%를 기록하며 2018년 39억 달러에서 2023년 208억 달러 규모로 성장할 것이라고 전망했다. 이러한 폭발적 성장세의 주요 요인으로 인공지능이나 머신러닝과 같은 진보된 기술을 익히고자 하는 사람들의 욕구, MOOC 플랫폼을 통해 온라인 공개 강의를 제공하려는 업체들 간의 경쟁을 꼽았다. 또한 MOOC 플랫폼은 미국에서 가장 활발하게 성장하고 있지만, 향후 아시아-태평양 지역

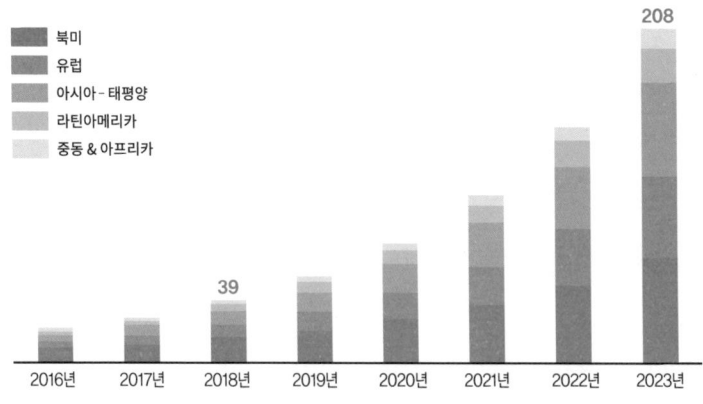

● **전 세계 대륙별 MOOC 시장 규모 전망**(단위: 억 달러)

출처: 마켓앤마켓

이 떠오르는 시장이 될 것이라고 내다보았다.

이처럼 전통적인 대학이 담당하던 교육, 그중에서도 오프라인 공간에서 주로 이루어지던 학습 경험을 온라인에서 접할 수 있다는 것은 밀레니얼 세대에게 큰 가치를 선사한다. 더욱이 디지털 환경에 익숙하고, 스킬갭의 시대를 살아가고 있으며, 자신에게 필요한 지식과 정보를 적극적으로 탐색하는 이 세대에게 MOOC는 아주 매력적인 배움터일 수밖에 없다. 이와 관련해 짚고 넘어가고 싶은 것 두 가지가 있다. 첫째, 밀레니얼 세대에게 MOOC는 왜 중요한가? 둘째, 밀레니얼 세대가 MOOC에게 바라는 학습 경험은 무엇인가?

1) 현업에 필요한 역량을 증명할 새로운 학위

'끊임없이 배워야 생존할 수 있다'는 위기 의식을 느끼는 밀레니얼 세대는 결핍을 채우기 위해 부단히 노력하는 학습자다. 이들은 다양한 방식으로 학습하는데, 그중에서 MOOC는 아주 세분된 직무나 주제에 대해 자신의 역량과 자격을 증빙할 수 있는 채널이라는 점에서 좀 더 특별하다. 세계적인 대학과 기업들의 전문적인 지식을 얻을 수 있다는 점도 매력적이다. 마이크로크리덴셜이나 온라인 학위가 지닌 가치가 MOOC의 성장을 견인하는 핵심 요소이고, 이런 것들이 취업이나 커리어 개발에 더 도움이 된다고 여기는 사람들이 늘고 있다. 대표적인 MOOC 플랫폼 중 하나인 코세라의 학습자 78% 이상이 이미 학위를 지닌 사람들이라는 사실이 이를 방증한다.

특히 밀레니얼 세대의 성장 욕구가 투영된 잡호핑job-hopping의 보편화는 마이크로크리덴셜에 대한 수요 확대로 이어진다. 잡호핑은 연봉 인상이나 새로운 기술의 습득, 또는 커리어 개발을 위해 2~3년에 한 번씩 직장을 옮기는 것을 이른다. 이러한 경향이 두드러지는 이유는 평생 직장에 대한 환상이 없고, 프로티언 커리어를 추구하며, 직장을 자기 성장의 터전으로 여기는 밀레니얼 세대가 노동시장의 주역으로 올라섰기 때문이다.

기업 인트라넷 플랫폼 솔루션을 제공하는 아쿠미나Akumina가 2019년에 발표한 보고서에 따르면, 밀레니얼 세대 응답자 중 75%가 "끊임없이 직업을 바꾸는 것이 커리어를 개발하는 데 도움이 된다"라고 답했다. 또한 40%에 달하는 응답자가 고등학교 또는 대학교를 졸업한 이후 네 개 이상의 직업을 가진 것으로 나타났다. 한국의 경우도 크게 다르지 않다. 2020년에 구인구직 플랫폼인 사람인이 발표한 바에 따르면, 밀레니얼 세대가 잡호핑을 선호하는 이유(복수 응답 허용)는 '경쟁력 있는 커리어를 만들고 싶어서'(49.7%), '성과에 따른 보상을 받고 싶어서'(46%), '다양한 경험을 해보고 싶어서'(40.8%)이다. 또한 절반 이상인 58.5%의 응답자가 잡호핑을 위해 직무 관련 공부를 해야 한다고 답했으며, 외국어 공부를 해야 한다는 이들이 44.5%, 업무 관련 자격증을 취득해야 한다는 응답자가 38.7%였다.

잡호핑이 늘어난다는 것은 곧 노동자들이 노동시장에서 자신의 역량을 증빙할 필요성이 높아진다는 것을 의미한다. 그러니 학위보다 세분된 분야에서 학습자가 보유한 지식과 기술을 보증하는 마이크로크리덴셜은 시간이 지날수록 그 존재 가치가 빛날 가능성이 높다. 대학에서 마케팅을 전공했다는 사실이 그가 곧바로 디지털 마케팅을 수행하기 위한 툴tool을 다룰 수 있다는 것을 의미하지는 않는다. 컴퓨터공학과를 나왔다는 사실이 그에게 앱 개발 역량이 있다는 것을 보증하지도 않는다. 그러나 업스킬링 또는 리스킬링을 위해 마이크로크리덴셜을 취득했다면 자신이 현업에 필요한 역량을 갖추고 있다는 것을 효과적으로 증빙할 수 있다.

유다시티의 나노디그리NanoDegree 프로그램은 마이크로크리덴셜의 가치를 잘 보여준다. 나노디그리는 취업이나 이직을 위한 웹 개발, 데이터 분석, 머신러닝, 자율주행, 인공지능 등의 교육과정으로 구성되어 있다. 학습자는 나노디그리를 이수하기 위해 영상 강의를 시청하고, 다른 학습자들과 토론하고, 영상을 통해 수업 조교와 영상 인터뷰를 진행한다. 나노디그리 수강생은 커리어 코치와 상담을 하거나, 일자리를 주선받거나, 이력서 작성에 도움이 되는 교육을 제공받기도 한다.

나노디그리 프로그램의 가장 큰 경쟁력 중 하나는 프로젝트 기반 학습PBL 중심의 학습 경험을 제공한다는 점이다. 학습자는 수강 기간 동안 여러 개의 프로젝트를 수행해야 하며, 수업 조교에게 결과물에 대한 피드백과 평가를 받는다. 이 모든 과정을 마친 학습자는 이력서에 기재할 만한 포트폴리오를 얻을 수 있으며, 유다시티는 제휴 기업에게 이 학습자의 이력서를 노출하고 인재를 추천한다. 뿐만 아니라 학습자는 AT&T, 아마존, 구글, 페이스북 등 유수의 기업들과 협력하여 개설한 교육과정을 통해 업계에서 필요로 하는 기술을 빠르게 습득할 수 있다. 교육과정을 제공하는 기업 입장에서는 자신들에게 필요한 인재를 사전 교육하는 기회이기도 하다. 즉 나노디그리는 학습자에게 필요한 지식과 기술을 제공하는 것을 넘어 배운 것을 적용할 수 있는 기회를 주고 구직 및 이직의 창구 역할까지 한다.

마이크로크리덴셜은 노동시장의 수요에 따라 아직 디지털 기술 분야에 집중되어 있는 것이 사실이다. 그러나 MOOC는 다양한 분야의 교육과정을 제공하고 있으며, 주요 MOOC 플랫폼에서 제공하는 마이크로크리덴셜과 온라인 학위 역시 지속적으로 증가하고 있다. 이러한 추

● **MOOC가 제공하는 교육과정의 비율**

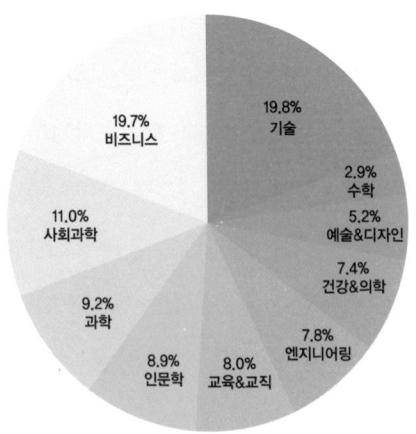

출처: 클래스센트럴

190

● 대표적인 MOOC 플랫폼의 2017~2019년 마이크로크리덴셜/온라인 학위 수

마이크로크리덴셜의 수			
	2017년	2018년	2019년
코세라(Coursera)	240	310	400
에덱스(edX)	174	233	292
유다시티(Udacity)	22	35	40
퓨처런(FutureLearn)	7	14	17

온라인 학위의 수			
	2017년	2018년	2019년
코세라(Coursera)	4	11	16
에덱스(edX)	1	9	10
유다시티(Udacity)	1	1	1
퓨처런(FutureLearn)	4	18	23

출처: 클래스센트럴

세로 미루어볼 때 잡호핑 시대에 MOOC가 밀레니얼 세대에게 제공하는 가치는 바래지 않을 것으로 보인다.

실제로 학습자들은 MOOC가 자신의 커리어 개발에 도움이 된다고 느낀다. 코세라가 펜실베이니아대학교, 워싱턴대학교University of Washington 와 함께 5만1,954명을 대상으로 수행한 설문 조사에서 87%의 응답자는 코세라의 강의가 커리어 개발에 기여했다고 답했다. 승진이나 새로운 일자리, 창업 등에 도움을 주었다고 말한 응답자는 33%였다. MOOC에서 온라인 학위나 마이크로크리덴셜을 발급받은 사람은 링크

드인에 이를 등록하고 자신이 함양한 실질적인 역량을 증빙할 수도 있다. 이에 따라 기업이 MOOC를 도입하고 조직 구성원들의 역량을 개발하고자 하는 움직임도 크게 늘어나고 있다.

물론 이는 미국을 중심으로 한 글로벌 MOOC 플랫폼의 이야기다. 한국의 MOOC는 아직 마이크로크리덴셜이나 온라인 학위 프로그램이 미진하고 노동시장에서의 효용성도 미약하다. 그러나 MOOC와 마이크로크리덴셜/온라인 학위가 스킬갭을 메울 수 있다는 인식이 확산되고 있는 만큼, 밀레니얼 세대를 중심으로 이러한 변화를 수용하는 속도는 점차 빨라질 것이다.

2) MOOC는 온라인과 오프라인을 넘나드는 배움터가 되어야 한다

MOOC가 처음 등장했을 때, 많은 사람들은 이 혁신적인 교육 모델이 대학의 존립을 위협할 것이라고 보았다. 전통적인 대학에서 제공하는 교육을 접근성이 매우 높은 온라인상에 공개하고, 마이크로크리덴셜이나 온라인 학위를 준다는 점이 대학의 존재 의미를 퇴색시킬 것이라고 생각했기 때문이다. 더구나 스킬갭이 사회적 문제로 등장하면서 이러한 전망은 힘을 얻었다.

그러나 MOOC를 대학의 '대체재'로 바라보는 사람이 많은 반면에 이 두 배움터를 '보완관계'로 여기는 사람들도 늘고 있다. 어느 쪽 의견이 타당한지 논하기 전에, MOOC를 바라보는 시각이 이렇게 갈리는 이유는 무엇일까? MOOC가 대학에서 제공하는 학습 경험을 오롯이 대신하지는 못하기 때문이다.

유다시티의 창립자 서배스천 스런은 2012년, IT 전문매체인《와이어드》와의 인터뷰에서 "50년 이내에 세계에서 단 열 개의 대학만이 대학 교육을 담당하게 될 것"이라고 예측했다. 2015년에 그는 또 다른 매체인 기가옴Gigaom과의 인터뷰에서 대학이 MOOC 때문에 사라질 것이라고 전망하냐는 질문에 "그렇지 않다"라고 답했다. 그는 온라인 수업과 대학 강의실 수업은 서로를 보완해주며, 굳이 둘을 분리해서 생각할 필요가 없다고 강조했다.

20년간 예일대학교 총장으로 있다가 2014년부터 2017년까지 코세라를 이끈 릭 레빈Rick Levin 역시 유사한 맥락의 이야기를 했다. 그는 온라인 강의가 전통적인 대학 교육을 위협하리라 예상했지만 실제로는 그렇지 않았고, 여전히 대학에서 이루어지는 '집중적인 교육'에는 온라인 교육이 대체할 수 없는 부분이 있다고 말했다. 그는 온라인 MBA를 수강하는 사람들이 인적 네트워크에 대한 기대보다는 업무 능력을 향상하려는 욕구가 크다고 진단했다.

실제로 MOOC는 높은 접근성과 편의성을 가지지만 오프라인 대학에서 제공하는 '인적 네트워크'라는 가치를 제공하기에는 아직 모자라다. 온라인 교육의 발달과 비대면 트렌드의 부상에 따른 빈자리를 채우기 위해 다른 학습자들과의 상호작용을 지원하는 솔루션들이 늘고 있지만, 여전히 만나서 대화하는 것만큼 강력한 관계 맺기 방식은 존재하

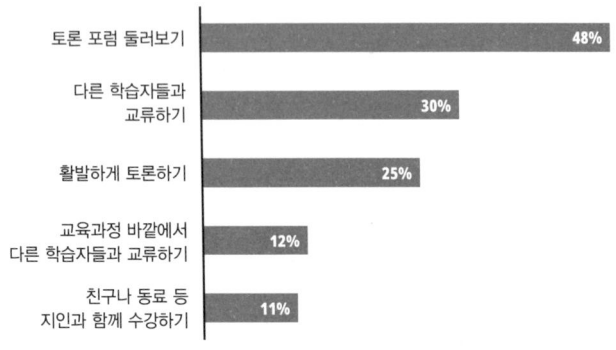

● MOOC에서의 경험 중 당신에게 중요한 것은?

토론 포럼 둘러보기	48%
다른 학습자들과 교류하기	30%
활발하게 토론하기	25%
교육과정 바깥에서 다른 학습자들과 교류하기	12%
친구나 동료 등 지인과 함께 수강하기	11%

출처: 클래스센트럴

지 않는다. 즉 MOOC와 대학은 그 목적이나 학습자가 기대하는 기치가
다르기 때문에 상호 보완적인 역할을 할 수 있다.

그럼에도 불구하고 오늘날의 학습자들은 'MOOC에서도' 다른 학
습자들과의 활발한 교류를 하고 싶어 한다. 클래스센트럴의 2017년 설
문 조사에 따르면, 응답자의 상당수가 많은 사람들이 함께 참여하는 토
론 포럼discussion forum을 둘러보고 다른 이들과 상호작용하는 것이 중요
하다고 답했다. 이와 같은 학습자의 욕구를 충족하기 위해 이미 많은
MOOC 플랫폼이 다른 학습자, 강사진, 운영진과 질의응답을 하거나 의
견을 주고받을 수 있는 공간을 제공하고 있다. 유다시티의 경우 토론
포럼 외에도 협업 솔루션인 슬랙Slack을 통해 학습자들 간의 연결을 촉
진하고 커뮤니티가 형성될 수 있도록 지원한다.

현재는 서비스를 종료했지만, 유다시티의 유다시티커넥트Udacity Connect는 이러한 욕구를 충족하고자 했던 모델이다. 유다시티커넥트는 나노디그리를 신청한 수강생들이 오프라인에 함께 모여 학습할 수 있는 스터디 모임 서비스이다. 서비스 가격은 99달러로 책정되었으며, 유다시티는 이 서비스에 가입한 학습자의 지역을 확인하고 근처에 있는 다른 학습자들을 연결하여 오프라인에서 함께 공부할 수 있도록 지원했다.

이뿐만 아니라 MOOC를 활용해 비교적 짧은 영상 강의를 수강한 뒤, 오프라인에서 토론이나 PBL에 참여하는 프로그램도 늘고 있다. 학습자는 사전에 지식을 습득한 상태에서 다른 학습자들과 만나서 상호작용을 하며 더 밀도 높은 학습 경험을 할 수 있다.

이와 같은 온라인 학습과 오프라인 학습의 결합은 새롭게 주목받고 있는 교육 모델인 플립러닝flipped learning과 밀접하다. 아직은 낯설고 어색한 방법론이지만, 교육과 학습 분야의 진화를 이끌 수 있는 새로운 학습법으로 각광 받고 있다. 플립러닝은 온라인을 통해 필요한 지식을 먼저 학습한 후, 오프라인에서 토론이나 협업과 같은 학습 활동을 통해 실질적인 문제를 해결하거나 한층 깊은 배움을 얻는다. 전통적인 교육에서는 오프라인에서 수업을 듣고 집에서 복습과 과제 수행을 통해 배운 지식을 공고화하는 과정을 거쳤다. 그러나 플립러닝은 이 순서를 뒤집어flipped 지식을 공고화한 이후에 오프라인에서 깊은 학습 경험을 도모한다.

● 전통적인 수업 방식 vs. 플립러닝 수업 방식

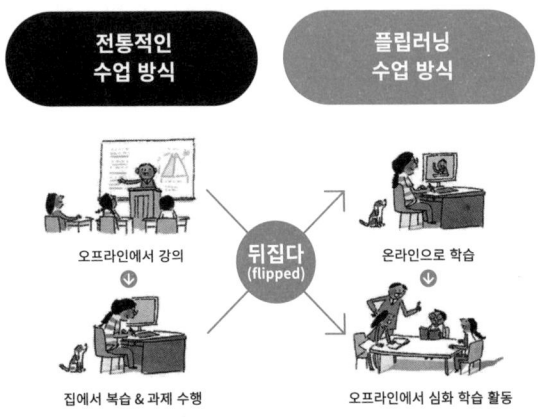

이에 따라 학습 목표와 학습 방법, 그리고 교수자와 학습자의 역할 도 달라진다. 교수자는 학습자들이 온라인으로 학습할 자료를 생산하고, 오프라인에서는 학습자들과 상호작용하고 학습 활동을 촉진하는 역할을 맡는다. 학습자는 온라인 학습 내용을 바탕으로, 오프라인 학습에 적극적으로 참여하고 지식 생산자로서 배운 내용을 체화하거나 적용점을 탐색한다. 또한 학습자는 온라인 학습에서 떠오른 궁금증이나 아이디어를 오프라인 학습에서 교수자, 그리고 다른 학습자들과 함께 해소하거나 구체화할 수 있다.

온라인에서 대부분의 학습 활동이 일어나는 MOOC의 경우 플립러 닝과 같은 학습 경험을 하기가 쉽지 않다. 그러나 MOOC와 플립러닝을 유기적으로 결합하면 다른 학습자와의 접점을 확대하고 교류를 촉진함

● 플립러닝의 주요 요소 및 교수자와 학습자의 역할

	온라인 학습	오프라인 학습
학습 목표	오프라인 학습 이전에 기본 지식과 개념을 이해	• 심층 학습 • 활용 방안 탐색
교수자의 역할	• 학습 자료의 생산 • 학습자 지원 전략 수립	• 학습 안내자 • 학습 보조자
학습자의 역할	• 지식 소비자	• 지식 생산자
학습 방법	• 온라인 교육 콘텐츠 학습	• 학습자 활동 중심 (협동, 의사소통, 참여, 토론)

으로써 이를 보완할 수 있다. 이러한 전망이 다소 요원해 보일 수 있지만, 시장과 서비스 모델은 언제나 고객의 욕구에 맞춰 변화하는 법이다.

일례로 초창기 MOOC는 실제 대학처럼 긴 학습 기간과 빡빡한 수강 일정으로 진행되었으나 현재에는 비교적 짧고, 유연하고, 쉽게 수강할 수 있도록 바뀌었다. 단기 강좌도 늘었고, 이로 인해 학습자는 조금 늦게 학습을 시작해도 진도를 따라가는 데 무리가 없다. 마이크로러닝 시대의 도래에 발맞춰 교육과정을 구성하는 학습 콘텐츠 역시 잘게 쪼개지고 있다. 학습자들이 문제 해결을 위한 의견을 공유하는 기능이나 멘토링 서비스도 확대되고 수준이 높아지고 있다. 대학에서 출발한 MOOC가 학습자들의 편의를 최대한 고려한 사용자 중심의 서비스로 진화하고 있는 것이다.

물론 MOOC가 학습자에게 제공하는 가장 큰 가치는 역시 양질의 교육 콘텐츠, 그리고 마이크로크리덴셜 및 온라인 학위이다. 그러나

197

MOOC가 플립러닝과 같은 방식으로 오프라인에서 이루어지는 수많은 상호작용을 담아낼 수 있다면, 서배스천 스런과 릭 레빈이 언급한 것처럼 전통적인 대학과 MOOC는 상호 보완적인 역할을 수행할 수 있을 것이다. 몇 년 뒤에는 MOOC를 수강하는 다른 이들의 아바타와 가상공간에서 VR 헤드셋을 쓰고 토론을 할지도 모를 일이다.

05

LXP :
모든 학습 경험을 통합 관리한다

2019년, 딜로이트컨설팅Deloitte Consulting의 HR컨설턴트이자 버신바이딜
로이트Bersin by Deloitte의 창립자인 조시 버신은 "오늘날 일터와 배움이 결
합되고 있다"라고 말했다. 그는 오늘날의 직장인들이 상사와 이야기하
고, 회의에 참석하고, 기사를 읽고, 영상을 보고, 프로젝트를 수행하고,
동료들에게 피드백을 받는 등 일터에서 경험하는 모든 것이 학습의 일
부분이라고 정의했다. 그리고 이를 일의 흐름flow of work, 즉 일하는 과정
에서 경험하는 배움이라고 보았다. 이러한 관점은 우리가 지금까지 짚
어온 이야기들, 즉 성장을 원하는 밀레니얼 세대가 일터에서 무엇을 배
우고자 하는지, 어떻게 배우기를 바라는지와 긴밀하게 닿아 있다.

오래전부터 일터에서의 배움을 주도한 것은 기업 교육이다. 기업 교육은 인재 개발에 대한 기업의 목적과 철학, 기술 및 교육 산업의 변혁이 맞물려 진화해왔다. 유튜브와 넷플릭스의 온라인 스트리밍 서비스, 영상 제작부터 공유까지 가능한 스마트폰의 등장은 기업 교육 분야에서도 영상의 전성기를 가져왔다. 이러한 변화와 함께 조직 구성원들은 '필요할 때 필요한 지식에 접근할 수 있는' 학습 경험을 갈구하기 시

● **기업 교육의 진화**

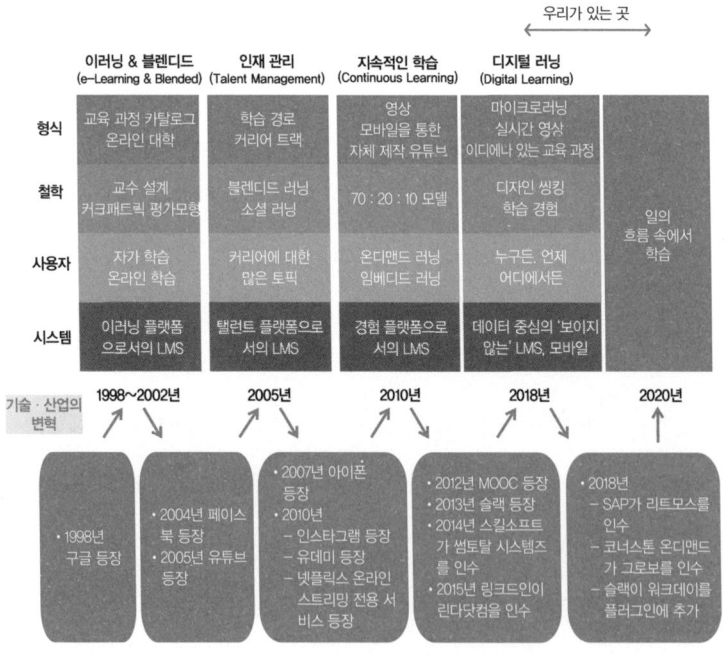

출처: 조시 버신의 자료에 필자가 '기술 · 산업의 변혁' 부분을 추가하여 재구성

작했다. 이는 다시 마이크로러닝과 실시간 영상 중심의 기업 교육으로 이어졌다. 오늘날 많은 기업은 언제 어디서든 개인이 최적화된 지식과 배움을 얻을 수 있는 학습 환경을 구축하는 데 힘쓰고 있다.

기업 교육의 모든 진화 과정은 '일의 흐름 속에서 학습learning in the flow of work'으로 귀결된다. 저마다 투자 금액이나 사정이 다르겠지만, 기업이 임직원들의 교육에 힘쓰는 이유는 단 한 가지, '성과'다. 기업은 임직원들에게 교육 기회와 학습 환경을 제공하고, 이들의 역량 개발을 통해 기업 전체의 성과가 높아지기를 바란다. 그래서 기업은 임직원들에게 '현업에 적용할 수 있는 지식', '일터와 밀접한 학습 환경'을 제공함으로써 배움이 일의 연속이자 일터의 습관으로 배어들 수 있도록 부단히 노력하고 있다.

그러나 교육만이 성과를 결정짓는 요소는 아니다. 채용, 인사 이동, 급여, 보상 등 여러 HR 요소들이 개인, 나아가 조직의 성과에 관여한다. 이러한 이유로 모든 HR 데이터를 통합 관리할 수 있는 인적 자원 관리 Human Capital Management, HCM 솔루션과 교육 서비스가 결합하고, 슬랙과 같은 협업 툴이 이런 통합 시스템에 연결되고 있다. 이는 모두 기업의 임직원들이 일터에서의 생산성을 높이고 더 큰 성과를 낼 수 있도록 지원하려는 목적이다.

이와 같은 변화 가운데 최근 몇 년간 기업을 대상으로 한 교육 산업 분야와 개인을 대상으로 한 교육 산업 분야 모두에서 주목받고 있는 키워드가 있다. 학습 경험 플랫폼Learning Experience Platform, LXP이 그 주인공이다. LXP는 다양한 지점에서 일어나는 모든 '학습 경험'을 통합 관리하고, 학습자의 커리어 목표, 스킬 수준, 관심사에 따라 개인에게 최적화된 학습 자원을 제공하는 플랫폼을 의미한다. "학위라는 제약을 없애자"라는 사명을 가진 디그리드Degreed, 디그리드가 인수한 패스개더Pathgather, 스마트하게 일하고 더 큰 성과를 얻을 수 있도록 돕는 에드캐스트EdCast 등이 대표적인 LXP이다. 그리고 이러한 서비스는 성장을 바라고, 커리어 개발에 관심이 많으며, 다양한 채널에서 학습 경험을 얻고자 하는 밀레니얼 세대에게 큰 효용을 선사한다.

1) 넷플릭스처럼 배우고 뱅크샐러드처럼 학습 경험을 관리하는 LXP

디지털 마케터이자 밀레니얼 직장인 I의 하루를 살펴보자. I는 출근길에 구독하고 있는 디지털 리포트와 뉴스 서비스를 읽는다. 오전 업무 중 업무 절차와 관련해 궁금증이 생긴 I는 사내 교육 플랫폼에서 마이크로러닝 영상을 본다. 점심시간에는 롤모델로 생각하는 마케팅 전문가의 블로그를 잠시 살펴보고, 퇴근길에는 유튜브에서 그 사람이 출현한 영상을 보거나 팟캐스트를 듣는다. 토요일에는 이북 리더로 베스트셀러를 읽고, 매주 일요일 아침에는 MOOC 강의를 본다. 한 달에 한 번 독서 모임에 참석하고, 3개월에 한 번은 웨비나를 통해 평소에 관심 있던 컨퍼런스를 실시간으로 시청한다. 1년에 두 차례 정도는 디지털 마케팅 부트캠프bootcamp에서 매우 밀도 높은 교육을 받는다.

언뜻 보면 매우 빡빡한 일정 같지만, 실제로 이렇게 끊임없이 배우는 밀레니얼 세대가 적지 않다. 이런 I가 LXP 서비스를 제공하는 디그리드를 이용한다고 가정해보자. I는 가장 먼저 자신의 커리어 목표를 마케팅 전문가로 정하고, 마케팅 전문가가 되기 위해 개발해야 할 기술로 마케팅 전략과 소셜 미디어 마케팅을 설정한다. 이어서 디그리드가 제시하는 8단계의 스킬 레벨 중 자신의 현재 수준을 스스로 평가하여 레벨 4를 선택한다.

디그리드에 접속한 I는 가장 먼저 페이스북의 타임라인과 유사한 피드를 마주한다. 이 피드에는 마케팅 전략, 소셜 미디어 마케팅과 연관된 유튜브 영상이나 아티클이 노출된다. I는 이 피드에 제시되는 콘텐츠를 보고 즐겨찾기로 저장하거나 공유할 수 있다. 또한 추천 학습 경로를 통해 체계적으로 자신의 스킬을 개발할 수 있는 학습을 수행할 수 있으며, 스킬과 연관된 아티클과 동영상, 책, 유료 교육과정에 바로 접근할 수도 있다. 이 모든 콘텐츠들은 I가 설정한 커리어 목표와 스킬 정보에 따라 추천받은 것이다.

그뿐 아니라 자신과 동일한 커리어 목표를 설정한 사람들의 프로필과 학습 경로를 참고할 수도 있다. 또 온라인 교육 플랫폼인 코드아카데미Code Academy나 플루럴사이트Pluralsight의 학습 이력을 연동하고 가져올 수도 있다. 디그리드에 구글의 연락처를 연결하거나 슬랙을 통해 매일 학습할 콘텐츠를 받아 보는 것도 가능하다. 또한 디그리드버튼Degreed Button이라는 크롬Chrome 브라우저의 확장 프로그램을 설치하면, 웹이나 모바일에서 우연히 발견한 좋은 콘텐츠도 바로 학습 완료 처리하거나 저장 및 공유할 수 있다. 이러한 콘텐츠들을 디그리드에서 나의 학습 이력에 추가하여 관리할 수 있다. 마지막으로 대시보드를 통해 자신의 학습 활동을 한눈에 파악할 수 있다.

디그리드가 I에게 커리어 목표와 스킬 정보에 따른 콘텐츠를 추천 하는 것은 넷플릭스와 유사하다. 물론 개인 맞춤형 추천 시스템의 품질 을 비교하기는 어렵지만, 수많은 지식과 정보, 그리고 교육과정 중에 I 의 커리어 개발에 기여할 수 있는 학습 자원을 제공하는 것은 큰 가치 가 있다. 이때 제시되는 콘텐츠들은 형식을 가리지 않으며, 이는 언제 어디에서나 배움을 섭식하는 밀레니얼 세대에게 꼭 맞는 서비스다.

이와 같은 LXP의 효익은 마치 개인 금융 관리 서비스인 뱅크샐러 드와 유사하다. 뱅크샐러드는 계좌, 연금, 카드 사용 내역, 부동산 등 사 용자의 모든 자산을 통합 관리하고, 개인의 자산 수준이나 지출 내역을 토대로 사용자에게 최적화된 카드나 보험 등 금융 상품을 추천한다. 또 한 뱅크샐러드가 지원하는 금융 비서는 사용자가 설정한 목표 지출액 이나 예산, 사용자의 소비 패턴을 분석하여 더 나은 금융 생활을 지원 한다. 물론 '배움'과 '내 돈 관리'라는 본질적인 차이가 있지만, 개인의 데이터를 통합 관리하고 개인 맞춤형 서비스를 제공하는 플랫폼이라는 점에서 LXP와 뱅크샐러드는 큰 틀이 같다.

넷플릭스처럼 배우고 뱅크샐러드처럼 학습 경험을 관리하는 LXP의 중심에는 '고도의 기술'과 '매력적인 콘텐츠'가 함께 자리한다. LXP는 기술과 콘텐츠를 결합함으로써 학습 경험을 혁신할 수 있는 새로운 근육을 만들고 있다. 이 근육을 적절히 활용한다면, 밀레니얼 세대의 성장 욕구를 충족할 수 있는, 풍성하고도 굳건한 학습 생태계를 조성할 수 있을 것이다.

2) 마이크로크리덴셜 플랫폼으로 거듭나는 LXP

본디 마이크로크리덴셜은 MOOC의 전유물처럼 인식되었지만, LXP 역시 개인의 스킬 수준이나 역량을 증빙할 수 있는 수단으로서 '인증 서비스'를 제공하기 시작했다. 특히 '학위라는 제약을 없애는 것'을 목표로 삼는 디그리드가 마이크로크리덴셜을 발급하는 것은 필연적이다.

다만 학습자 개인이 스스로의 스킬 수준을 자체 평가하는 디그리드의 스킬 레벨 체계는 역량 증빙에서 큰 의미를 갖기 어렵다. 디그리드가 제공하는 8단계의 스킬 레벨은 미국의 고용 및 노동과 관련한 비영리 연구단체인 루미나재단Lumina Foundation, CSWCorporation for Skilled Workforce와의 협업으로 개발된 직무 능력 체계이다. 그러나 별다른 데이터나 근거 자료 없이도 자신의 스킬 레벨을 자유로이 선택할 수 있다는 점, 언제든 이를 조정할 수 있다는 점에서 타당성과 신뢰도를 확보하는 데 한계가 있다.

디그리드의 유료 마이크로크리덴셜 서비스인 스킬 인증Skill Certification은 보다 엄격한 인증 과정을 제공한다. 학습자는 129달러를 내고 한 가지 스킬을 인증받을 수 있으며, 399달러를 지불하고 무제한 멤버십에 가입하여 다양한 스킬에 대한 인증서를 발급받을 수도 있다.

스킬 인증은 단순히 학습 시간이나 완료한 교육과정 수, 시험이나 과제 평가를 통해 얻은 점수 등의 데이터를 근거 자료로 활용하지 않는 다. 그 대신에 학습자가 인증받고자 하는 스킬을 현업에 적용한 사례나 근거를 제출하고, 추천인 리뷰와 전문가 평가 등의 검증 과정과 일련의 데이터 분석 과정을 거쳐 최종 등급을 매긴다. 그리고 학습자는 디그리 드가 부여한 등급이 기재된 인증서를 발급받는다.

디그리드 스킬 인증 서비스는 LXP의 수익 모델로서 의미가 있지만, 그보다 새로운 형태의 마이크로크리덴셜 모델이라는 점에서 더 큰 가 치를 지닌다. 스킬갭 문제가 큰 현 시대에 학위는 한 사람의 기술과 지 식을 평가하는 척도가 되기 어렵다. 이러한 상황에서 함께 일하는 추천 인의 리뷰와 전문가 평가를 스킬 인증의 핵심 요소로 삼은 것은 전통적 인 학위와도, 앞서 살펴본 MOOC의 마이크로크리덴셜과도 차별화되는

● **디그리드의 스킬 인증 프로세스**

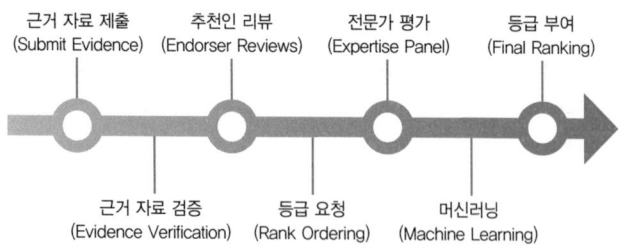

출처: 디그리드

지점이다. 또한 디그리드에서 분류하고 있는 스킬의 수가 1,500개 이상이라는 점 또한 아주 세분된 직무의 스킬 인증이 가능하다는 것을 의미한다. 이 과정을 거쳐 발급된 스킬 인증서가 얼마나 타당하고 신뢰할 수 있을지는 지켜봐야겠지만, 일터에서 유효한 실질적인 역량을 증빙하는 하나의 방법으로서 충분히 주목할 만하다.

3) 차세대 LMS와 진화된 인재 육성 플랫폼으로 변모하는 LXP

2019년, LXP 에드캐스트는 1,600개 이상의 기업 고객과 5,000개 이상의 교육과정을 보유한 기업 교육 전문기업 리페스트Leapest를 인수했다. LXP에 교육 콘텐츠와 학습 관리 기능을 더하기 위해서였다. 개인에게 적합한 학습 자원을 검색하고 추천받을 수 있는 플랫폼에서 기업 교육을 위한 학습 관리 시스템LMS으로 거듭나고 있는 것이다.

LXP는 학습 경험을 통합 관리하고 개인에게 필요한 학습 자원을 연결해주지만, 자체적인 교육 프로그램을 보유하고 있지는 않기 때문에 LXP 내부에서 학습이 이루어지는 경우는 많지 않다. 예를 들어 디지털 마케터 I는 디그리드에서 플루럴사이트의 교육과정을 추천받더라도 수강을 위해서는 플루럴사이트 플랫폼으로 이동해야 한다. 물론 디그리드에서 클릭 한 번이면 해당 사이트로 이동이 가능하고, 플루럴사이트의 학습 이력을 디그리드에서 관리할 수는 있다. 그러나 어쨌든 디그리드에서 그 교육을 들을 수 있는 것은 아니다.

모든 콘텐츠 비즈니스가 그러하듯 양질의 기업 교육을 제공하기 위해서는 '기술'과 '콘텐츠'가 필요하다. 기술을 통해 쾌적한 학습 플랫폼을 구축하는 것도 중요하지만, 여기에 매력적인 교육과정과 학습 콘텐츠를 담는 것도 그에 못지않게 중요하다. 게다가 이것들을 효과적으로 관리할 수 있는 기능은 필수다. LXP가 이러한 부분을 모두 갖춘다면, 전통적인 LMS 대신 LXP를 선택할 기업도 늘어날 것이다.

학습 경험 데이터를 수집하고 분석하는 LXP의 특성상 다양한 콘텐츠 공급자들과의 연동도 용이하다. 링크드인 러닝이 LXP로서의 기능을 갖추기 위해 공격적으로 움직이는 것도, 세일즈포스Salesforce 나 하버드비즈니스퍼블리싱Harvard Business Publishing, 겟앱스트랙트getAbstract 등에서 제공하는 외부 콘텐츠를 연결하려는 것도 이러한 맥락에서 이루어지고 있는 변화다. 글로벌 기업 교육 솔루션 업체인 스킬소프트Skillsoft 가 자사의 콘텐츠를 지능형 LMS인 퍼시피오Percipio 에 통합한 것이나 인재 관리 솔루션 서비스를 제공하는 코너스톤온디맨드Cornerstone OnDemand 가 자사의 플랫폼에서 파트너들의 콘텐츠 및 서비스를 판매하는 방식으로 외부 파트너를 확보하고 있는 것도 마찬가지다.

한편 디그리드는 또 다른 방향으로 LXP의 외연을 확대하고 있다. 2019년에 디그리드는 단기 계약직이나 프리랜서와 같은 긱워커gig worker 채용 및 관리 솔루션을 제공하는 아뎁토Adepto 를 인수했다. 이에 대해 디그리드의 CEO 크리스 매카시Chris McCarthy 는 디그리드의 고객과 사용자들은 매력적인 학습 경험 이상을 원한다면서, "한 사람의 기술과 경험에 대한 통찰을 바탕으로 적합한 인재를 필요한 곳에 연결시킬 수 있는 방법이 요구된다"라고 강조했다. 즉 디그리드가 아뎁토를 인수한 이유는 학습 경험 플랫폼에 인재 매칭 서비스를 결합하여 진화된 인재 육성 플랫폼으로 거듭나기 위해서다.

2013년에 설립된 아뎁토는 기업 내부 노동자와 외부 노동자들이 자신의 기술과 커리어 목표에 최적화된 프로젝트나 일자리 기회를 탐색할 수 있도록 돕는다. 또한 기업이 긱워커들의 스킬과 관심사를 쉽게 확인할 수 있는 서비스를 제공한다. 디그리드는 이러한 아뎁토의 데이터를 확보함으로써 현업과 밀접한 스킬 시스템을 완성할 수 있게 되었다. 더 나아가 경력 이동성career mobility 서비스, 즉 개개인의 직급, 직무, 스킬 수준에 따라 최적화된 역할을 담당하도록 돕는 서비스를 제공할 수도 있다. 덕분에 사용자는 현재 보유한 스킬을 기준으로 자신의 역할을 확장하기 위해 어떤 업무가 필요한지 파악할 수 있다. 또 디그리드가 취합한 스킬 정보를 바탕으로 자신에게 적합한 일회성 프로젝트나 과제를 탐색하고 이 과정에 참여함으로써 '일을 통한 배움'을 얻을 수 있다.

이러한 서비스를 구현하기 위해서는 사람들의 스킬 수준을 측정하고 개인에게 최적화된 교육을 제공하는 시스템이 필요한데, 디그리드는 이미 이를 보유하고 있다. 아뎁토의 CEO 크리스 밀리건Chris Milligan이 "디그리드와 아뎁토의 결합은 시장의 수요를 더 효율적으로 충족할 것이며, 업스킬링과 효율적인 인력 운용을 지원하는 솔루션을 제공할 수 있을 것"이라고 평가한 이유가 바로 이것이다. 그 가능성을 인정받아서 디그리드는 2020년 6월 3,200만 달러를 유치하며 누적 투자금 1억

8,200만 달러를 달성했다.

LXP의 진화는 일잘러를 꿈꾸는 밀레니얼 세대의 욕구와 노동시장
의 변화를 오롯이 담아낸다. 스킬갭, 일자리의 위기, 끊임없는 학습, 일
터에서의 경험이 길러주는 진짜배기 실력, 현업에서 써먹을 수 있는 스
킬을 보증하는 마이크로크리덴셜, 긱경제 시대의 도래와 잡호핑의 보
편화가 이 '진화'를 촉진하고 있기 때문이다. 이 진화의 끝에 무엇이 기
다리는지는 아직 알 수 없지만, 성장을 갈망하는 밀레니얼 세대의 바람
이 배움의 습관은 물론 일터의 모습마저 바꾸는 것을 지켜보는 건 꽤
흥분되는 일이다.

지금까지 살펴본 LXP가 밀레니얼 세대에게 제공히는 가치를 크게
다섯 가지로 정리할 수 있다.

첫째, 모든 학습 이력 데이터를 통합 관리한다. 오늘날 직장인들은
언제나 다양한 지점에서 다채로운 방식으로 지식과 배움을 얻는다. LXP
와 콘텐츠 공급자 간의 합의하에 학습자는 영상뿐만 아니라 이북이나
디지털 리포트 같은 텍스트, 팟캐스트 같은 오디오, 소셜 살롱이나 컨퍼
런스에서 이루어지는 학습 활동 등 모든 학습 경험과 이력들을 하나의
플랫폼에서 관리할 수 있다. 또한 LXP는 이를 통해 70:20:10 모델의 전
영역을 담아낼 수 있다.

둘째, 개인 맞춤형 학습을 지원한다. 아직 미진한 부분이 있지만
LXP는 xAPI를 통해 학습자의 모든 학습 경험을 추적하고 축적할 수 있

다. 그리고 LRS에 풍부하게 축적된 학습 경험 데이터를 분석하여 학습자에게 최적화된 학습 콘텐츠나 학습 경로를 제공한다. 이때 학습자는 자신이 설정한 커리어 목표나 관심사, 도달하고자 하는 스킬 수준을 달성하기 위해 필요한 학습 콘텐츠를 확인하고, LXP를 통해 쉽게 접근할 수 있다. 이 학습 콘텐츠는 영상, 텍스트, 오디오, 오프라인 교육과정 등 여러 형식을 아우른다. 인공지능과 콘텐츠 큐레이션content curation 기술의 발전은 이 가치를 드높이고 있다.

셋째, 다른 사람들과의 연결을 지원한다. LXP 안에서 학습자들끼리 메시지를 주고받는 등 직접적인 방식이나 다른 학습자의 학습 경로를 추천하는 방식으로도 가능하다. 즉 LXP의 학습자는 자신이 몸담은 조직 또는 직무 영역에서 높은 성과를 내는 롤모델이 어떻게 학습하는지 참고할 수 있다. 또 LXP가 학습 데이터를 시각화하여 제공하는 대시보드를 통해 자신의 학습 수준을 다른 학습자와 비교해볼 수도 있다. 자신이 만든 지식 콘텐츠를 플랫폼에 공유하거나, 다른 학습자들과 실시간으로 토론하는 기능을 제공하기도 한다.

넷째, 끊김 없는 학습을 지원하여 일잘러로 성장할 수 있는 습관을 형성해준다. 조시 버신이 강조했듯이, 가장 중요한 것은 학습자가 플랫폼 자체에 몰입하는 것이 아니라 무언가를 배우고, 적용하고, 일터로 돌아가는 것이다. LXP가 통합 학습 경험 관리나 개인 맞춤형 학습을 지원하는 것은 모두 최상의 학습 경험을 제공함으로써 학습자가 끊임없이 배우고 자신의 역량을 갈고 닦을 수 있도록 돕기 위해서다. 이를 위해

LXP는 추천 품질의 제고나 학습자의 행동 데이터에 기초한 알림 기능 등 보다 개인화된 서비스를 제공하기 위해 노력하고 있다.

다섯째, 학습자의 시간과 노력을 절약해준다. 모든 사람들이 그렇겠지만, 오늘날의 밀레니얼 세대는 매우 바쁘다. 그런데 선택할 수 있는 콘텐츠가 증가한 만큼 개인에게 꼭 맞는 콘텐츠를 찾기는 더 어려워졌다. 이러한 풍요의 역설은 밀레니얼 세대에게 더 많은 시간과 노력을 요구한다. LXP는 이들에게 필요한 지식이나 학습 자원을 찾는 시간을 줄여주고 효과적인 학습 경험을 얻을 수 있도록 지원함으로써 그 수고를 덜어준다.

이러한 가치를 지닌 LXP를 두고 글로벌 인적 자원 연구기관인 브랜던홀그룹Brandon Hall Group은 "개인 및 조직의 학습과 성과 창출의 증진을 위한 변화의 시작"이라고 언급했으며, 온라인 교육 전문가이자 컨설턴트인 크레이그 와이스Craig Weiss는 "(기존의) LMS보다 강력한 제품"이라고 평가했다. 조시 버신 역시 "오늘날 LXP 시장은 빠르게 성장하고 있으며, 무시하기에는 너무나 거대하다"라면서 "LXP 시장 규모는 3억 달러에 달하고 매년 50% 이상 성장하고 있다"라고 강조했다.

이러한 장점과 성장 가능성을 지닌 LXP는 개인이 주체적으로 커리어 개발과 학습 이력 관리를 할 수 있도록 돕는다. 또한 기업 역시 임직원들의 역량 개발을 위해 LXP를 도입하는 사례가 늘고 있다. 이는 곧 일상은 물론 일터에서도 광범위한 학습 경험을 관리하고 지속적인 배움을 도모할 수 있게 된다는 것을 의미한다.

제4장

끊임없이 성장하고픈
밀레니얼을 위한 가이드

스킬갭의 시대를 살아가는 밀레니얼 세대는 성장을 욕망하고, 이론을 넘어 진짜배기 실력을 키울 수 있는 경험에 탐닉한다. 적극적인 학습자인 이들의 욕구는 '배움의 습관'을 뒤바꾸기 시작했다. 사람들이 무엇을 바라는지를 면밀히 관찰하여 이를 충족하는 혁신적인 서비스들이 등장하면서 이러한 변화를 뒷받침했다.

이 장에서는 바로 그 '혁신적인 서비스'들을 살펴보려고 한다. 이 과정을 통해 이 서비스들이 어떻게 '끊임없이 배우고자 하는 밀레니얼 세대'를 만족시키고 있는지 이해하고, 일잘러를 꿈꾸는 밀레니얼 세대가 어디에서 어떻게 양질의 지식을 얻을 수 있는지 안내하려고 한다. 더불어 기업에서 교육을 담당하고 있는 교육 담당자들에게 기업 교육의 최종 소비자인 '요즘 직장인들'이 배우는 방식을 소개함으로써 새로운 학습 생태계를 구축하는 데 일조할 수 있을 것이다.

이 서비스들은 기민하게 시장의 흐름을 읽어내서 밀레니얼 모멘트의 주력 소비층인 새로운 세대의 지갑을 열고 있다. 이 서비스들이 일시적인 유행에 불과하다고 하는 일부 시각이 존재하고, 앞날은 장담할 수 없는 것도 사실이다. 등장한 지 가장 오래되었다는 MOOC조차도 10년이 채 되지 않았으니 말이다. 몇 년이 지나면 일부 서비스는 비즈니스 모델을 바꾸거나 서비스 방식을 변경하거나 아예 사라질지도 모르는 일이다.

다만 여기서 주목하는 부분은 이 서비스들이 '밀레니얼 세대에게 어떤 가치를 제공하는지'이다. 새로운 서비스가 폭발적으로 성장했다는 것은 곧 소비자의 불편을 효과적으로 해소하고 욕망을 충족시켜주었다는 의미다. 이를 섣불리 '일시적인 유행'이라고 판단하기에 앞서 사회와 기업의 주력 세대로 떠오른 새로운 세대가 원하는 바가 무엇인지 이해하기 위해 조금 더 노력할 필요가 있지 않을까? 성장을 탐닉하는 밀레니얼 세대라면, 기업의 미래인 밀레니얼 세대를 육성하는 교육 담당자라면 지금부터 살펴볼 서비스들을 알고 그로부터 배워야 한다.

먼저 각 서비스를 이용 목적에 따라 다섯 가지로 분류했다. 이 서비스들에 관심을 갖는 이유는 저마다 다르겠지만, 서비스를 이용함으로써 얻을 수 있는 효용을 좀 더 쉽게 이해할 수 있도록 돕기 위해서다. 아

울러 각 서비스의 제공 방식, 학습 방식, 소개문을 덧붙였다. 가격 정책
은 매우 유용하고 중요한 정보지만 변동될 여지가 있는바, 2020년 8월
을 기준으로 유료인지 무료인지만 기재했다.

01

그때그때 필요한
지식을 제공받고 싶다면

퍼블리, 북저널리즘, 밀리의서재, 리디셀렉트, 뉴닉, 듣똑라

가장 먼저 구독 서비스를 살펴보자. 뉴스레터, 팟캐스트, 이북 등이 여기에 포함된다. 이 서비스들의 가장 큰 효용은 정제된 콘텐츠를 제공한다는 점, 이용자들이 이를 빠르고 경제적으로 소비할 수 있다는 점이다. 월정액 구독 서비스들은 대체로 구독비를 지불한 이용자에게 무제한 이용 권한을 주고 개인화 서비스를 지원한다. 이용자는 이를 통해 콘텐츠 하나하나를 구매할 때보다 적은 비용으로 다양한 콘텐츠를 이용할 수 있다. 수많은 정보가 쏟아지는 오늘날 돈을 지불할 가치가 있는, 날카롭게 벼려진 콘텐츠를 말이다.

뉴스레터와 팟캐스트 콘텐츠들은 밀레니얼 세대의 라이프스타일에

최적화된 방식으로 시사 정보를 제공한다는 점에서 주목할 만하다. 이 역시 이용자 대신 지식과 정보를 선별하고, 이용자가 효율적으로 이를 소비할 수 있도록 돕는다. 시간이 부족하다고 여기는 요즘 직장인들에게 이만한 배움터는 흔하지 않다.

아울러 이 서비스들은 새로운 세대에게 사랑받는 서비스로 거듭나기 위해 콘텐츠의 질만큼 이용자의 경험에도 많은 관심을 기울인다. 이용자 데이터를 상세하게 분석하고, 이용자가 웹과 모바일 등 다양한 환경에서 콘텐츠에 접근할 수 있도록 하며, 콘텐츠를 매개로 커뮤니티를 구축하기 위해 애쓴다. 즉 이들은 '콘텐츠의 질'과 '기술의 목적' 사이에서 균형을 잡으며 밀레니얼 세대가 원하는 바를 채워주고 있다.

1) 퍼블리: 일하는 사람들의 콘텐츠 플랫폼

① 제공 방식: 월정액 구독 서비스

② 학습 방식: 디지털 리포트, 뉴스

③ 소개

유료 지식 콘텐츠 시장의 개척자로 평가받는 퍼블리는 "일하는 사람들의 콘텐츠 구독 서비스"를 표방한다. 이용자는 한 달에 책 한 권 가격으로 퍼블리가 제공하는 모든 디지털 리포트를 볼 수 있다. 퍼블리는 디지털 시대가 도래하면서 전통적인 지식 콘텐츠 사업을 지탱해오던 언론과 출판이 어려움을 겪고 있다는 점에 주목했고, 이를 대체할 수 있는 서비스를 제공하는 데 힘썼다. 디지털 리포트의 토픽은 브랜딩, 비즈니스 전략, 산업 트렌드, 리더십, 콘텐츠 및 미디어, 재테크, 일 잘하는 법, 커리어 경험담 등 매우 다양하다. 웹은 물론 모바일 앱으로도 접근 가능하며, 일부는 종이책으로 출간되기도 한다.

퍼블리는 시장과 기업이 어떻게 변화하고 있는지뿐만 아니라 '일 잘하는 선배들'의 생생하고 구체적인 경험을 담아낸다. 단편적인 정보의 나열은 지양하고 전문가의 관점과 성장에 대한 고민을 반영하고자 했기에 독자는 어떻게 일해야 하는지, 어떤 방식으로 문제에 접근해야 하는지에 대한 배움을 얻을 수 있다. 이러한 특성은 퍼블리의 콘텐츠를 '기꺼이 돈을 지불할 가치가 있는 콘텐츠'로 만들어준다. 그리고 바로 이 점이 이미지와 동영상이 주목받는 시대에 텍스트 콘텐츠를 무기로 '읽는 시장'을 개척하고 있는 퍼블리의 가장 강력한 경쟁력이다.

여기에 더해 퍼블리는 2020년 뉴스 서비스를 런칭했다. 퍼블리는 기술, 마케팅, 투자, 경영 등 각 분야의 전문가가 최신 이슈를 큐레이션하고 자신만의 관점을 덧붙이는 형태로 뉴스를 제공한다. 덕분에 독자는 자신에게 필요한 뉴스를 찾는 데 시간을 소모할 필요가 없고, 전문가의 관점을 참고하며 뉴스의 배경과 맥락을 이해할 수 있다.

퍼블리의 타깃 고객층은 성장을 욕망하지만 미래에 대한 불안감을 가진 사람들, 즉 밀레니얼 세대다. 이들은 10년 후에도 자신의 생존을 담보할 경쟁력을 확보하고 싶어 하며, 다른 사람들의 경험에 탐닉한다. 이에 따라 콘텐츠의 주요 저자들 역시 현업에 종사하는 실무자들이며, 이들이 일터에서 갈고 닦은 경험과 관점을 독자에게 전달한다. 이런

'간접 경험'으로 인해 퍼블리가 제공하는 콘텐츠는 매우 깊고도 풍부한 배움을 선사한다.

2) 북저널리즘: 젊은 혁신가를 위한 콘텐츠 구독 서비스

① 제공 방식: 월정액 구독 서비스

② 학습 방식: 디지털 리포트, 뉴스

③ 소개

북과 저널리즘의 합성어인 '북저널리즘'은 책처럼 깊이 있게, 뉴스처럼 빠르게 우리가 지금 깊이 읽어야 할 주제를 다룬다. 북저널리즘 역시 매달 책 한 권 가격, 신문 월 구독료 수준의 비용으로 모든 콘텐츠를 마음껏 이용할 수 있다. 북저널리즘의 문제의식은 '복잡하고 빠르게 변하는 세상을 깊이 이해하기에 책은 너무 느리고 뉴스는 너무 가벼웠다'는 것이었다. 또한 이들은 디지털 시대의 저널리즘이 현실과 밀착한 지식, 지혜로운 정보를 책처럼 깊고 풍성하되, 신문처럼 적시에 전달해야 한다고 믿는다. 북저널리즘의 콘텐츠도 매우 다양한 카테고리를 아우르며, 디지털 리포트에만 집중하지 않고 인쇄 매체인 도서 발간에도 힘쓰고 있다.

북저널리즘의 차별화 전략은 《가디언》과 《이코노미스트》의 심층 리포트를 선별하여 제공하는 것이다. 외부 미디어와의 협업으로 북저널리즘만의 독자적 콘텐츠를 확보하기 위한 노력이다. 텍스트뿐만 아니라 오디오 콘텐츠를 접할 수 있다는 점 역시 장점이다.

북저널리즘의 핵심 고객층은 정보에 뒤처지고 싶지 않고 트렌드에 민감한 20대 후반~40대 중후반의 사람들이다. 이들은 지적 호기심이 왕성한 동시에 콘텐츠 질에 민감하다. 북저널리즘은 이들을 만족시키기 위해 이용자의 효용 가치를 극대화한 결과물을 내놓으려고 애쓴다. 이를 위해 북저널리즘은 깊이 있는 지식과 현장의 경험을 두루 갖춘 전문가의 콘텐츠 생산을 지원한다. '깊이 있는 지식'을 판단하는 기준은 학위가 아니며, '그 분야를 가장 잘 다룰 수 있는 전문가'를 저자로 섭외한다.

북저널리즘은 2020년, '스트리밍 세대'를 위한 뉴스 서비스를 런칭했다. 이 서비스를 통해 북저널리즘은 간결한 뉴스를 전달함으로써 독자의 시간을 절약하고, 텍스트 뉴스와 오디오 뉴스를 동시에 발행함으로써 입체적인 뉴스 경험을 제공한다. "매일 아침 종이 신문을 넘기던 독자와 수시로 뉴스 피드를 확인하는 독자에게 좋은 뉴스의 정의는 다르다"라고 강조하는 북저널리즘은 기존과 다른 방식의 뉴스 서비스를 제공한다. 이러한 접근은 밀레니얼 세대에게 뉴스를 소비하는 새로운 습관을 제시했다는 점에서 주목할 만하다.

3) 밀리의서재: 독서와 무제한 친해지리

① 제공 방식: 월정액 구독 서비스

② 학습 방식: 이북, 오디오북

③ 소개

밀리의서재는 한 달에 책 한 권 정도의 비용으로 수만 권에 이르는 이북과 오디오북을 이용할 수 있는 구독 서비스다. 사실 이북이나 오디오북 서비스는 밀리의서재 이전에도 존재했지만, 월정액으로 무제한으로 이용할 수 있다는 점, 책이라는 콘텐츠를 상당히 다양한 방식으로 전달한다는 점이 이 서비스를 좀 더 특별하게 만든다.

이용자는 《사피엔스》나 《이기적 유전자》처럼 두꺼운 책의 내용을 30분 정도의 분량으로 요약하여 전달하는 '리딩북'을 이용할 수도 있고, 이용자들이 직접 제작하여 업로드하는 책 리뷰나 애니메이션 콘텐츠를 볼 수도 있다. 뿐만 아니라 채팅 형식으로 책의 줄거리를 요약해주는 '챗북' 콘텐츠도 만나볼 수 있다.

밀리의서재는 자체 콘텐츠를 공격적으로 생산하고 있다. 이 콘텐츠들은 밀리의서재에서 직접 기획 · 제작 · 제공하는 독점 콘텐츠이다. 김영하 작가의 《작별인사》 등이 여기에 해당한다. 또한 이러한 독점 신간이 담긴 한정판 종이책을 두 달에 한 번 배송해주는, 이북과 종이책이 결합된 구독 서비스도 제공하고 있다.

이처럼 밀리의서재가 '다양한 책 읽기 경험'을 제공하는 것은 이 서비스의 타깃 고객층이 밀레니얼 세대이기 때문이다. 2019년 밀리의서재가 발표한 바에 따르면, 이 서비스를 이용하는 전체 회원 중 20대가 40%, 20대와 30대를 합하면 77%에 달한다. 이들이 밀리의서재를 찾는 이유는 여러 가지겠지만, 매력적인 콘텐츠를 경제적이고 편리하고 다채로운 방식으로 소비하는 학습 경험이 가장 주요한 이유일 것이다.

4) 리디셀렉트: 베스트셀러부터 프리미엄 아티클까지

① 제공 방식: 월정액 구독 서비스

② 학습 방식: 이북, 아티클

③ 소개

리디셀렉트는 이북 플랫폼 사업의 강자 '리디북스'가 런칭한 월정액 구독 서비스이다. 이북을 개별적으로 구매하거나 대여해서 보는 대신 매월 일정 금액을 지불한 뒤 모든 이북을 마음껏 읽을 수 있도록 한 것이다.

리디셀렉트가 제공하는 책 종류는 밀리의서재보다 적다. 그러나 책 이외에도 다양한 아티클을 제공한다. 즉 이용자는 월정액 구독으로 《이코노미스트》, 《뉴욕타임즈》, 《파이낸셜타임즈》, '비즈니스인사이더'와 같은 세계적인 언론의 번역 기사는 물론이고 《HR인사이트》 같은 국내 매체의 콘텐츠, '아웃스탠딩'이나 '널 위한 문화예술'과 같이 자신만의 색깔이 묻어나는 매력적인 미디어 스타트업의 콘텐츠를 만나볼 수 있다. 뿐만 아니라 콘텐츠 크리에이터나 오피니언 리더들의 칼럼도 살펴볼 수 있다.

이용자는 관심 있는 채널을 팔로우하고, 해당 채널에서 생산하는 아티클을 정기적으로 받아볼 수도 있다. 예를 들어 예술에 관심이 있는 이용자라면 '널 위한 문화예술' 채널을 팔로우하여 문화예술 전시회 정보는 물론 예술가들의 이야기나 배경 지식을 담은 양질의 콘텐츠를 읽을 수 있다. 콘텐츠 비즈니스에 관심이 있는 이용자라면 미디어 평론가이자 콘텐츠 기획자인 차우진 작가의 글을 읽을 수 있고, IT 산업 전반이 궁금한 이용자는 비즈니스인사이더와 아웃스탠딩의 채널을 팔로우하여 새로운 소식을 발 빠르게 접할 수 있다.

이는 곧 이용자가 이북이 선사하는 효용은 물론 국내외 매체나 오피니언 리더들의 관점이나 경험 역시 습득할 수 있다는 것을 의미한다. 이북과 아티클은 '시의성' 측면에서 상호보완적이기 때문에 어떤 지식이나 정보에 대한 통찰과 적시성, 독자의 두 욕구를 모두를 충족할 수 있다. 이북 리더인 리디페이퍼를 통해 더 나은 독서 경험을 제공한다는 점 역시 리디셀렉트의 장점이다.

5) 뉴닉: 밀레니얼을 위한 시사 뉴스레터

① 제공 방식: 무료 구독 서비스

② 학습 방식: 뉴스레터

③ 소개

뉴닉은 시사 이슈를 재미있고 빠르게 이메일로 받아 볼 수 있는 서비스다. 핵심 고객층은 밀레니얼 세대이고, '우리가 꼭 알아야 할 이슈가 무엇인지', '지금 우리가 함께 이야기해야 할 것은 무엇인지'를 담아내고자 한다. 이 서비스를 통해 이용자들은 바쁜 일상 속에서도 일주일에 세 번, 정치·경제·사회·문화 전반의 이슈를 파악해주는 뉴스레터를 만나볼 수 있다.

뉴닉의 공동창업자인 김소연 대표는 "기성 뉴스에 불만을 느끼면서도 의무감 때문에 꾸준히 뉴스 소비를 해왔던 밀레니얼 세대의 일원으로서 문제의식을 갖고 있었고, 그러한 문제를 비즈니스로 풀어보겠다는 생각으로 일을 시작했다"라고 말한다. 이들의 문제의식은 '젊은 세대는 뉴스를 안 읽는다'는 통념에서 벗어나, '젊은 세대도 세상이 궁금하지만 뉴스를 못 보고 있다'는 인식에서 출발했다. 뉴닉은 밀레니얼 세대가 뉴스를 왜 필요로 하는지, 이들이 기존 뉴스에 접근하기 어려웠던 이유가 무엇인지, 그것이 밀레니얼 세대의 라이프스타일과 어떤 관계가 있는지를 파악하고자 애썼다.

뉴닉은 이 문제를 풀어내기 위해 중요한 뉴스를 대신 선별하고, 각 뉴스를 5분 내외로 읽을 수 있도록 정리하며, 이 세대가 많은 관심을 가진 인권이나 환경, 젠더 감수성에 대한 이슈를 적극적으로 다룬다. 다소 어려울 수 있는 내용도 배경지식 없이 쉽게 이해할 수 있도록 전달하는 점, 뉴닉의 캐릭터인 '고슴이'가 밀레니얼 세대에게 익숙한 어휘와 문법으로 뉴스를 전달한다는 점 역시 뉴닉의 경쟁력이다.

2020년 7월을 기점으로 뉴닉의 구독자가 20만 명을 넘어선 것은 이런 남다른 경쟁력이 밀레니얼 세대를 사로잡았음을 증명한다. 2019년 1월에 정식 서비스를 런칭했음을 고려할 때, 가파른 성장세가 매우 인상적이다. 뉴닉이 이용자에게 전달하는 콘텐츠가 대부분 텍스트로 이루어져 있다는 점, 뉴스레터라는 그리 새롭지 않은 콘텐츠 형식으로 이룬 성과라는 점 역시 뉴닉을 주목해야 할 이유다. '자기만 아는 세대'라는 세간의 평가와 달리 밀레니얼 세대가 뉴스에 목말라 있다는 것,

그리고 지식과 정보를 어떻게 가공하여 어떤 방식으로 전달하는지에 따라 밀레니얼 세대의 큰 호응을 이끌어낼 수 있다는 것 또한 이용자는 물론 지식 콘텐츠 사업자에게 시사하는 바가 매우 크다.

6) 듣똑라: 듣다 보면 똑똑해지는 라이프

① 제공 방식: 무료 구독 서비스

② 학습 방식: 팟캐스트, 유튜브, 뉴스레터

③ 소개

듣다 보면 똑똑해지는 라이프, 듣똑라는 중앙일보의 20~30대 기자들이 직접 기획, 제작, 진행하는 팟캐스트다. 듣똑라 역시 뉴닉과 마찬가지로 핵심 고객층을 밀레니얼 세대로 잡고 있다. 이들이 궁금해할 만하고 이들에게 중요한 시사 뉴스나 지식, 커리어에 대한 정보를 선별·정리하여 제공한다. 듣똑라는 본디 기사로 미처 담지 못한 취재 내용들을 녹음하여 팟캐스트로 내보내다가 2019년 1월 정식으로 런칭했다.

지금은 유튜브를 통해 제작 뒷이야기를 담은 영상을 제공하기도 하고, 주요 기사와 개념을 요약 정리한 뉴스레터를 발송하기도 한다. 또한 퍼블리에서 듣똑라의 콘텐츠를 텍스트로 만나볼 수도 있다. 이를 통해 듣똑라는 구독자와의 접점을 넓히는 동시에 구독자들이 뉴스를 이용하는 패턴을 고려해서 적합한 때, 적합한 방식으로 콘텐츠를 제공한다. 또한 콘텐츠를 제작하는 사람들도, 구독하는 사람들도 밀레니얼 세대인 만큼 구독자가 원하는 이슈를 솎아내고 이를 효과적으로 전달하는 데

탁월하다.

듣똑라가 제공하는 콘텐츠에서 차지하는 비중은 시사 뉴스가 높지만, 일하는 사람들을 대상으로 한 인터뷰도 그에 못지 않다. 일하는 여성들의 커뮤니티인 빌라선샤인의 홍진아 대표, 배달의민족의 이승희 마케터, 퍼블리의 박소령 대표, 에누마Enuma 의 이수인 대표 등 자신만의 분야에서 의미 있는 성과를 일군 이들의 이야기는 커리어 성장에 큰 관심을 가지고 있는 밀레니얼 세대를 사로잡기에 충분하다. 구독자들은 이러한 콘텐츠를 통해 다른 사람들의 경험에서 배우고 단편적인 지식과 일터의 간극을 메울 수 있다.

02

타인과 공간을, 경험을, 관점을
공유하고 싶다면

트레바리, 헤이조이스, 빌라선샤인, 비마이비, 하버드비즈니스리뷰포럼코리아

이번에는 소셜 살롱 서비스를 살펴보자. 이 서비스들은 공간을 매개로 다른 사람들과 대화하고 서로의 관점과 경험을 나누며 배우는 경험을 제공한다. 이는 일터에서 마주하는 문제를 해결하고 일잘러로 거듭나기를 바라는 밀레니얼 세대에게 매우 매력적일 수밖에 없다. 이는 파편적인 정보만으로는 채울 수 없는, 일의 맥락에 맞게 적용할 수 있는 '내공'을 쌓는 데 꼭 필요하다. 제아무리 뛰어난 자질을 가진 직장인이라고 할지라도 '내공'을 쌓기 위해서는 상당한 시간과 시행착오가 필요하지만, 비슷한 고민을 먼저 해봤거나 이미 난제를 풀어낸 사람들과의 교류를 통해 이를 앞당길 수 있다.

소셜 살롱은 이를 돕는 대표적인 서비스로, 책, 일하는 여성, 브랜드 등 다양한 주제를 매개로 회사 밖의 업계 전문가나 선배, 그리고 동료와의 만남을 주선한다. 대부분의 서비스가 오프라인 공간을 중심으로 시작되었으나 지금은 온/오프라인을 넘나들며 더 깊은 소통과 피어러닝을 지원하고 있다. 밀도 있는 학습 경험을 얻을 수 있다는 면에서 다른 서비스들과 차이점을 가진다.

1) 트레바리: 읽고, 쓰고, 대화하고, 친해져요

① 제공 방식: 유료 멤버십 서비스

② 학습 방식: 소셜 살롱

③ 소개

트레바리는 독서 모임 멤버십 서비스이다. 이용자는 일정 금액을 납부하고 4개월간 한 달에 한 번 책을 읽고, 독후감을 제출하고, 직접 만나서 책에 대해 대화하고 토론한다. 단순히 책을 읽는 데 그치지 않고 이를 통해 다양한 사람들과 교류하며 지적 갈증을 해소하는 경험을 할 수 있다.

독서 모임에서 다루는 주제는 인문, 사회, 자연과학, 기술, 산업 트렌드, 취미 등 매우 다양하며, 각계각층의 전문가가 클럽장으로 참여해 전체적인 진행을 하면서 자신의 식견을 나눈다. 이용자는 직장에서 만나기 어려운 사람들과 만나고 이들로부터 배움을 얻을 수 있다. 트레바리는 다양한 분야에서 활약하는 명사들을 클럽장으로 섭외하여 고객을 사로잡기 위해 애쓰고 있다. 물론 클럽장이 없는 모임도 운영하고, 이런 경우에는 참가자들끼리 관점을 교류하고 활발히 토론하며 학습 경험을 확장한다.

최근 트레바리는 '랜선 트레바리'를 런칭하며 오프라인에서 이루어지던 독서 모임을 온라인에서도 서비스하고 있다. 랜선 트레바리에 참여하는 사람들은 트레바리가 매달 제시하는 책을 읽고, 함께 제시하는 미션에 대한 에세이를 작성하여 공유한다. 이 과정에서 참여자들은 같은 책을 읽은 사람들의 생각을 접할 수 있으며 댓글로 의견을 교환한다.

트레바리의 독특한 시스템 중 하나는 '독후감'이다. 제아무리 독서 모임에 대한 의욕과 애정이 넘치는 사람이라도 독후감을 제출하지 않으면 모임에 참석할 수 없다. 이는 수준 높은 토론을 위해 준비된 멤버들만 참여할 수 있도록 만든 거름 장치인 동시에 학습 경험의 밀도를 높이는 촉매제이기도 하다. 자신의 라이프스타일이나 일정에 맞춰 책에 담긴 지식을 소화하고, 독후감으로 이를 정제하며, 다른 사람들과의 피어러닝을 통해 배운 바를 일은 물론 자신의 삶에 적용할 수 있는 방안을 찾아간다.

트레바리는 이런 특징 덕분에 취업 이후 본질적인 성장을 꿈꾸는 밀레니얼 세대에게 매력적인 소셜 살롱으로 다가가고 있다. '관심사와 가치관, 취향이 같은 사람들과 제대로 연결될 수 있는 플랫폼'으로서의 위치를 공고히 다지고 있는 것이다. 소셜 살롱을 논할 때 트레바리를 가장 먼저 언급한다는 것은 트레바리가 표방하는 "세상을 더 지적으로,

사람들을 더 친하게" 만드는 일이 여전히 밀레니얼 세대에게 중요하다
는 증거다.

2) 헤이조이스: 여자들의 커리어 성장 플랫폼

① 제공 방식: 유료 멤버십 서비스

② 학습 방식: 소셜 살롱

③ 소개

헤이조이스의 비전은 "영원히, 나답게"이다. 이 비전의 탄생 배경에
는 '커리어의 전망을 그리기 어려운 여성'에 대한 헤이조이스의 문제의
식이 있다. 과거에는 결혼하는 여성의 비율이 지금보다 높았고, 출산이
경력 단절로 이어지는 경우가 훨씬 많았다. 이러한 구조에서 여성들은
롤모델로 삼을 수 있는 커리어 우먼은 찾기 어려웠고, '일하는 여성'으
로서 일터에서 마주하는 고민을 나눌 대상이 희박한 환경이 조성되었
다. 헤이조이스는 이러한 문제를 해결하기 위해 일하는 여성들이 서로
의 고민과 직장 내에서 성장할 수 있는 방법을 나누는 커뮤니티를 구축
했다.

헤이조이스가 멤버십 이용자들에게 제공하는 것은 인생에서 '일'의
가치를 소중하게 여기는 여성들을 돕는 공간과 인맥, 사례 연구case study
이다. 커뮤니티에 참여하는 대기업 직원부터 스타트업 종사자, 창업자,
전문직 등 다양한 직군의 여성들은 같은 고민을 안고 있는 사람들과 교
류하고 정보를 공유한다. 헤이조이스가 기획하고 제공하는 커리어, 업

무 역량 강화, 재테크, 취미 생활 등에 관련된 다양한 강연과 워크숍, 네트워킹 파티 또는 소모임이나 컨퍼런스에 참가하기도 하고, 자신이 몸담고 있는 분야에서 성장해온 여성들의 이야기를 전해 들으며 영감과 자극을 받기도 한다.

그뿐 아니라 헤이조이스 전용 앱을 통해 서로의 회사와 직무를 검색하고 채팅을 할 수도 있다. 여기에 더해 근래에는 웨비나 또는 VOD video on demand 형태의 디지털 콘텐츠 등 온라인 프로그램을 강화하면서 비대면 트렌드에도 적극적으로 대응하고 있다.

이러한 효익 덕분에 헤이조이스에 열광하는 밀레니얼 여성들이 매우 많다. 헤이조이스의 창업자 이나리 대표는 "회원들의 성장 욕구가 강한데, 밀레니얼 세대가 특히 더하다. 일과 삶의 균형만 좇는 줄 알지만 어떻게 더 나은 사람, 영리한 사람이 될 수 있는지에 가장 관심이 많다"라고 말한다. 헤이조이스가 성장을 욕망하는 밀레니얼 세대의 선택을 받는 이유는 여러 가지가 있겠지만, 그것이 '지식'에 국한될 리는 없다. 그보다 일하는 여성들 간의 교류에서 얻는 배움과 경험이 주된 이유일 것이다.

3) 빌라선샤인: 나의 일과 삶을 스스로 기획하는 여성들의 커뮤니티

① 제공 방식: 유료 멤버십 서비스

② 학습 방식: 소셜 살롱

③ 소개

2019년 3월 설립된 빌라선샤인의 주요 고객층은 직장에서 경력을 쌓고 지속 가능한 미래를 꿈꾸는 25~39세의 밀레니얼 여성이다. 이 서비스는 멤버십에 가입한 사람들을 '새로운new'과 '여성women'의 합성어, '뉴먼newomen'이라고 칭하며, 이들에게 일과 성장을 함께 고민할 수 있는 네트워크를 제공한다. 이 과정에서 빌라선샤인은 뉴먼들이 일과 삶을 스스로 기획하고, 자신의 경험을 다른 뉴먼들과 적극적으로 나누는 여성으로 거듭날 수 있도록 지원한다.

빌라선샤인은 일터에서 맞닥뜨리는 질문을 고민하는 '모닝뉴먼스클럽', 모닝뉴먼스클럽에서 오간 내용들을 다시 열람할 수 있는 '모닝뉴먼스클럽 디지털 리포트', 일터에서 바로 적용 가능한 뉴먼들의 노하우를 들어보는 '경험 공유회', 멤버십 전용 뉴스레터 '프롬뉴먼' 등 매우 다양한 서비스를 제공한다. 또한 주거, 노무, 법률 등의 문제를 전문가와 상담할 수 있는 '선샤인오피스아워'와 같은 프로그램이나 빌라선샤인의 프로그램을 실시간으로 시청할 수 있는 라이브 방송 등 온라인 서비스도 이용할 수 있다. 이를 통해 빌라선샤인은 직장이나 가정 등 여성들이 삶의 터전에서 맞닥뜨리는 어려움에 효과적으로 대처할 수 있는 능력을 길러주기 위해 노력한다.

빌라선샤인만의 특징은 프로그램을 이끄는 전문가나 강연자 역시 또래 여성들로 꾸려진다는 점이다. 빌라선샤인은 또래 그룹에 많은 영향을 받는 밀레니얼 세대에게 비슷한 또래의 이야기와 경험을 전달함으로써 더 큰 자극과 아이디어를 얻도록 독려한다. 이 과정에서 형성되는 네트워크는 향후 밀레니얼 여성들이 자신만의 커리어를 꾸려가는 데 큰 버팀목이자 성장의 거점이 될 수 있을 것이다.

4) 비마이비: 브랜드 씽킹 플랫폼Brand Thinking Platform

① 제공 방식: 유료 멤버십 서비스

② 학습 방식: 소셜 살롱

③ 소개

비마이비는 '브랜드'를 매개로 한 소셜 살롱 서비스이다. 멤버십에 가입한 이용자들은 다양한 분야의 브랜드를 직접 접하고, 각 브랜드의 관계자는 물론 다른 참가자들과 분석적 시각을 나눌 수 있다. 이를 위해 비마이비는 느슨하고 편한 분위기 속에서도 특정 브랜드를 깊게 살펴보는 '브랜드 세션', 크고 작은 컨퍼런스인 '브랜드 데이', 이용자들끼리 여행을 떠나는 '브랜드 트립'과 같은 프로그램을 제공한다.

비마이비가 밀레니얼 세대만을 위한 소셜 살롱이라고 보기에는 무리가 있지만, 비마이비가 다룬 브랜드의 면면을 보면 밀레니얼 모멘트에 급부상한 것들이 다수를 차지한다. 에어비앤비, 뉴닉, 뱅크샐러드, 태극당, 핑크퐁, 북저널리즘, EO 등은 모두 새로운 소비 주체로 떠오른 이들의 주목을 받은 브랜드이다. 참가자들은 각 브랜드를 대표하는 강연자와 브랜드의 이야기를 공유하며 다른 참가자들과 활발한 교류를 통해 새로운 네트워크를 구축하기도 한다. 비마이비에서 오가는 이야기들은 퍼블리나 폴인에서 텍스트 콘텐츠로도 만나볼 수 있다. 밀레니얼 세대는 다양한 창구로 비마이비의 이야기를 접하며 학습 경험을 넓힐 수 있는 것이다.

이 서비스가 '브랜드'만을 다룬다는 점을 들어 다른 소셜 살롱에 비해 확장성이 아쉽다는 시각도 존재한다. 그러나 오히려 브랜드에 집중하기 때문에 더 깊고 전문적인 통찰을 할 수 있다는 점이 비마이비만의 날카로운 경쟁력이다.

5) 하버드비즈니스리뷰포럼코리아 HFK
: 직장인 네트워크, 경험과 지식의 커뮤니티

① 제공 방식: 유료 멤버십 서비스

② 학습 방식: 소셜 살롱

③ 소개

하버드비즈니스리뷰포럼코리아, 즉 HFK는 직장인에 최적화된 소셜 살롱이다. 본디 HFK는 글로벌 경영매거진인 《하버드비즈니스리뷰》을 읽고 토론하는 커뮤니티에서 출발했다. 이후 2018년부터 《하버드비즈니스리뷰》뿐만 아니라 다양한 주제를 아우르는 서비스로 확장했다.

HFK는 3개월 단위의 시즌제로 운영하며, 멤버십 이용자는 6회의 정기 모임으로 구성된 '자기 계발 테마'와 6회의 '월간 세미나', 네트워킹 프로그램이나 북토크, 컨퍼런스 등의 '프라이빗 이벤트'에 참여할 수 있다. 또한 《하버드비즈니스리뷰》 3개월 구독, 《하버드비즈니스리뷰》

한국어판과 브랜드 매거진인《매거진 B》할인 등 부가 혜택을 누릴 수 있다.

HFK가 다루는 주제는 경영, 트렌드, 고급 영어, 리더십, 문제 해결, 브랜드, 회계 등 매우 다양하다. 그리고 각각의 모임이 제공하는 학습 활동은 전문적인 교육 프로그램 못지 않게 구체적이고 현업과 밀접하다. 예를 들어 신사업이나 새로운 상품 및 서비스 기획에 관심이 있는 사람들은 HFK에서 제공하는 모임에 참여하여 체계적인 기획 실습과 토론을 경험할 수 있다. 물론 취향에 따른 모임이나 소규모 영화제 등의 편안한 이벤트들도 만나볼 수 있지만, 대부분의 모임이 다양한 산업군에 속한 멤버들과 함께 직무 역량을 기르기에 적합하다는 것이 HFK만의 장점이다.

03

전문적인 스킬을 습득하고
커리어를 가꾸고 싶다면

코세라, 유다시티, 링크드인 러닝, 패스트캠퍼스, 스터디파이

개방형 온라인 강좌, 즉 MOOC 서비스들은 많은 시간을 필요로 하지만 전문적인 스킬과 역량을 키우게 해준다. 구독 서비스가 제공하는 유료 지식 콘텐츠나 소셜 살롱 서비스도 풍부한 학습 경험을 제공하지만, 새로운 개념이나 스킬을 오롯이 이해하고 현업에 적용할 수 있을 정도로 체화하기 위해서는 긴 호흡의 학습이 필요하다. 그리고 체계적인 커리큘럼을 바탕으로 설계된 교육 프로그램만이 이를 가능하게 한다.

MOOC는 대학의 교육 체계에 뿌리를 둔 만큼 구조화된 교육 프로그램을 제공한다. 세계적인 지성들의 지식을 충실히 담아냈다는 점, 글로벌 기업들과 협업하여 개발한 강의로 일터와 밀접한 교육을 받을 수 있다는 점, PBL을 통해 일터에서 바로 써먹을 만한 실력을 키울 수 있다는 점, 강사진과 다른 학습자들과 상호작용할 수 있는 다양한 기술이 지원된다는 점 등이 MOOC의 큰 가치다. 뿐만 아니라 온라인 학위는 물론 마이크로크리덴셜과 같이 진짜 실력을 보증하는 수단을 제공한다는 점 역시 프로티언 커리어를 꿈꾸고 잡호핑에 익숙한 새로운 세대에게 매우 유익하다.

노동시장에서 필요로 하는 실무 교육을 제공함으로써 성인 교육시장의 성장을 이끄는 서비스들도 있다. 이들은 스킬갭이 대두한 배경을 이해하고 기업과 직장인 및 취업 준비생 모두가 필요로 하는 교육 프로그램을 제공한다. 주목해야 할 지점은 이러한 서비스들이 취업을 위한 교육을 넘어 업무 역량을 기르고 싶거나 이직 또는 커리어 전환을 위해 배우려는 이들의 욕구를 효과적으로 충족하고 있다는 점이다.

1) 코세라: 세계 최고의 대학과 기업들의 강의를 온라인에서 만날 수 있는 MOOC

① 제공 방식: 무료/유료 교육과정, 유료 인증서 발급

② 학습 방식: 온라인 강의

③ 소개

MOOC 1세대이자 선두 주자로 평가받는 코세라는 "누구나, 어디서나 세계 최고의 학습 경험을 접함으로써 사람들의 삶을 변화시킬 수 있는 세상을 꿈꾼다"라는 목표를 가지고 있다. 코세라는 경제적 · 사회적

위치의 차이로 인해 모든 사람이 고등교육에 접근할 수 없다는 데 문제의식을 가지고, 이 '접근성'을 높이기 위해 대학의 온라인 강의를 무료로 대중에 공개하는 모델을 만들어냈다. 모든 강의는 기본적으로 무료지만 수강을 증빙하는 인증서를 발급받거나 강의에서 제공하는 프로젝트나 과제에 참여하고 교수나 조교의 피드백을 받으려면 비용을 지불해야 한다.

코세라가 제공하는 프로그램은 매우 다양하다. 첫 번째는 '단일 교육과정'이다. 두 번째는 여러 교육과정을 묶어놓은 '전문가 과정'이다. 예를 들어 데이터 과학자가 되기 위한 전문가 과정으로 프로그래밍 언어, 데이터 분석 방법, 분석 도구를 다루는 법 등의 강의를 묶어둔 것이다. 세 번째는 '전문 자격증 과정'이다. 취업이나 이직을 위한 자격증 과정으로서 대학은 물론 구글이나 IBM, SAS 등 일선 기업과 함께 설계한 교육 프로그램이 많다. 네 번째는 '마스터 트랙MasterTrack™ Certificates'이다. 이 과정을 이수하면 이후에 각 대학의 석사과정에 진학했을 때 학점을 인정받을 수 있다. 다섯 번째는 '온라인 학위'이다. 이 과정을 수료하면 학위를 취득할 수 있으며, 오프라인에서 발급되는 학위와 동일한 효력을 갖는다. 여섯 번째는 기업 교육 서비스인 '코세라 포 비즈니스Coursera for Business'이다. 각 기업에 필요한 강의와 영상을 별도로 추출하여 제공하며, 기업 교육 담당자들이 직원들의 교육 현황을 확인하고 관리할 수 있도록 돕는다.

코세라가 제공하는 강의를 수강하는 데에는 보통 4주에서 6주, 길게는 4개월에서 6개월 정도가 소요된다. 온라인 학위 프로그램의 경우, 1년에서 4년 정도의 시간이 걸리기도 한다. 퀴즈, 시험, 과제는 물론 강사진 혹은 학습자들과 질의응답을 하거나 토론할 수 있는 온라인 커뮤니티 '포럼'이 제공된다. 학습자는 자신이 취득한 마이크로크리덴셜이나 온라인 학위를 세계 최대의 비즈니스 전문 SNS인 링크드인에 등록하고 스킬을 증빙할 수 있다.

2) 유다시티: 일터와 밀접한 실리콘밸리의 대학

① 제공 방식: 무료/유료 교육과정, 유료 인증서 발급

② 학습 방식: 온라인 강의

③ 소개

'실리콘밸리의 대학'이라고 불리는 유다시티가 꿈꾸는 것은 '교육의 민주화'다. 이 목표에 걸맞게 모든 사람이 양질의 교육 콘텐츠에 접근할 수 있도록 노력하고 있다. 유다시티가 여타 MOOC와 다른 점은 인공지능, 데이터 과학, 클라우드 컴퓨팅cloud computing, 프로그래밍, 자율 시스템autonomous system 등 디지털 역량을 기르는 교육과정에 집중한다는 점이다. 물론 다른 분야의 교육과정도 존재하지만 다른 MOOC 서비스에 비해서 그 비율이 높지 않다. 유료 강의 비율이 높고 온라인 강의 스튜디오를 구비하여 온라인 수강생을 위한 강의를 제작하는 데 힘쓰고 있다는 점이 특징이다.

유다시티를 상징하는 교육 프로그램은 단연 '유다시티 스쿨Udacity

School'이라는 나노디그리이다. 나노디그리 프로그램은 전통적인 대학 교육이나 학위에 뿌리를 두기보다는 실용적이고 문제 해결을 중시하며 일터와 밀접한 마이크로크리덴셜을 지향한다. 다른 MOOC 서비스에 비해 온라인 학위 제공에 적극적이지 않은 점에서도 이와 같은 유다시티의 의향을 엿볼 수 있다. 여기서 더 나아가 유다시티 역시 기업 교육 서비스인 유다시티 포 엔터프라이즈Udacity for Enterprise를 통해 직원들의 업스킬링과 리스킬링을 지원하고 있다.

유다시티의 누적 학습자 수가 다른 MOOC 1세대 서비스에 비해 적지만, 이는 대학보다 기업과의 접점을 넓히며 유다시티만의 가치를 벼리는 과정에서 나타난 결과다. 그 대신에 유다시티는 인공지능이나 자율주행차와 같이 독특한 주제에 집중하면서 입지를 다지고 있다. 일례로 벤츠Benz, 엔비디아NVIDIA, 우버Uber, BMW 등의 글로벌 기업과 함께 설계한 '자율주행차 엔지니어링 과정'은 유다시티만의 특별한 교육 프로그램으로 자리매김했다. 이러한 유다시티의 행보는 MOOC에 관심을 가진 밀레니얼 세대에게 다양한 선택지를 제공한다.

3) 링크드인 러닝: 커리어 개발부터 포트폴리오까지 관리할 수 있는 학습 플랫폼

① 제공 방식: 월정액 구독 서비스

② 학습 방식: 온라인 강의

③ 소개

2015년 린다닷컴을 인수한 뒤 런칭한 링크드인 러닝은 린다닷컴이 보유하고 있던 풍부한 교육 콘텐츠, 링크드인이 그간 구축한 광범위한 비즈니스 네트워크를 결합한 학습 플랫폼이다. 이 서비스는 학습자가 설정한 커리어 목표와 현재 담당하는 직무 및 보유 스킬에 대한 정보는 물론이고 링크드인의 네트워킹 정보 등을 종합하여 개인에게 최적화된 학습 경험을 제공한다.

링크드인 러닝이 학습자에게 제공하는 첫 번째 가치는 탁월한 교육 콘텐츠다. 학습자는 링크드인 러닝을 통해 1만5,000개 이상의 교육 콘텐츠를 7개의 언어로 수강할 수 있다. 두 번째 가치는 개인 맞춤형 학습이다. 이 서비스는 학습자에게 꼭 맞는 교육 콘텐츠와 학습 경로를 추천함으로써 효과적인 커리어 개발을 돕는다. 세 번째 가치는 활발한 상호작용이다. 링크드인 러닝의 인터페이스는 매우 직관적이기 때문에 학습자가 쉽게 강사진과 질의응답을 할 수 있으며, 큰 불편함 없이 퀴즈에 참여하고 보조 자료를 이용할 수 있다. 네 번째 가치는 모바일 앱을 통해 언제 어디서든 링크드인 러닝에 접근할 수 있다는 점이다. 이러한 특징 덕분에 링크드인 러닝은 기업 교육 분야에서뿐만 아니라 일반 직장인에게도 큰 관심을 받고 있다.

링크드인은 제공하는 교육 콘텐츠의 수가 매우 많고, 학습할 수 있는 카테고리 역시 비즈니스, 기술, 리더십, 교육, 세일즈, 소프트웨어 도구 등 매우 광범위하다. 이 점은 학습에 대한 초조함을 안고 있는 밀레니얼 세대의 관심을 끌기에 충분하다. 게다가 학습을 제공하는 데 그치는 것이 아니라 링크드인 플랫폼과 유기적으로 연결되어 있다는 점에서 링크드인 러닝은 비즈니스 네트워크를 확장하고 잡호핑의 기회를 탐색하는 밀레니얼 세대에게 매우 유용하다.

4) 패스트캠퍼스: 빠르게 변화하는 디지털 시대의 실무 교육기관

① 제공 방식: 유료 교육과정

② 학습 방식: 온/오프라인 강의

③ 소개

성인 실무 교육을 제공하는 패스트캠퍼스는 시대의 변화를 기민하게 파악하고 사람들이 필요로 하는 교육 서비스를 제공하며 성장한 회사다. 패스트캠퍼스의 문제의식은 성인 교육시장이 수요자가 아닌 공급자 중심으로 돌아간다는 점이었고, 이 문제를 해결하기 위해 '사람들이 필요로 하는 교육을 제공'하려고 애쓰고 있다.

패스트캠퍼스가 제공하는 서비스 중 가장 핵심적인 것은 데이터 사이언스, 디지털 마케팅, 프로그래밍 등 오늘날 노동시장이 필요로 하는 디지털 역량을 함양할 수 있는 교육 프로그램이다. 이는 노동자가 현재 보유한 스킬과 일터에서 필요로 하는 역량의 간극, 즉 스킬갭이 사회적 문제로 대두하는 상황에서 취업 준비생이나 직장인에게 매우 매력적이다. 이 덕분에 패스트캠퍼스는 2014년에 창립한 후 2019년에 이르러서 누적 고객 12만 명, 연매출 260억 원을 넘어섰다. 그 이름처럼 '빠른' 성장을 이룬 것이다.

오프라인 중심으로 제공되던 패스트캠퍼스의 교육 프로그램은 온라인으로 확대되고 있으며, 철저하게 실무 중심이다. 그중에서도 가장 인상적인 행보는 2019년 런칭한 실무 역량 인증 프로그램, 바이트디그리byte-Degree이다. 이는 일종의 마이크로크리덴셜 프로그램이며, 아마존, 네이버, 카카오와 같은 기업의 현직자들이 커리큘럼 감수와 프로젝트 설계에 참여한다. 학습자들은 교육과정 중 지식을 얻는 것뿐만 아니라 현업에서 마주할 프로젝트를 해결하는 경험을 할 수 있으며, 모든 학습이 끝나면 현직 전문가들이 보증하는 인증서를 발급받을 수 있다. 물론 이 인증서가 실제로 기업에 통용될지는 지켜봐야 할 문제지만, 실무 교육 분야에서 마이크로크리덴셜 모델을 도입했다는 것만으로도 큰 의미가 있다.

5) 스터디파이: 온라인으로 끝까지 공부하는 가장 확실한 방법

① 제공 방식: 유료 교육과정

② 학습 방식: 온라인 강의

③ 소개

온라인 스터디 중계 플랫폼인 스터디파이는 '스터디코치'라고 불리는 전문가가 스터디를 개설하고, 해당 주제를 배우고자 하는 학습자들이 참여하여 온라인 스터디 모임을 진행하는 서비스다. 스터디파이의 문제의식은 '온라인 강의가 오프라인 강의에 비해 저렴하고 제약이 없음에도 불구하고 수강률이 매우 낮다'는 점이었다. 이에 따라 스터디파이는 온라인 강의의 장점은 살리면서 완주율도 높이기 위해 온라인 강의와 스터디 모임을 결합한 서비스를 제공한다.

스터디파이의 모든 프로그램은 명확한 커리큘럼과 수강 기간, 그리고 마감 기한이 있는 과제 및 평가 체계를 갖추고 있다. 학습자들은 블록체인, 머신러닝, 영어, 글쓰기는 물론이고 비즈니스 전반의 다양한 주제로 스터디 모임을 할 수 있다. 그리고 수업을 완료하면 수강료의 일정 금액을 환급받는다. 이러한 혜택 덕분에 스터디파이의 평균 완주율은 50%에 달한다. 이는 여타 온라인 강의의 완주율을 고려해보았을 때 매우 높은 수치이다.

스터디파이의 또 다른 장점은 요즘 직장인들의 라이프스타일을 고려해 유연하게 학습할 수 있게 설계했다는 점이다. 학습자들은 '슬랙' 메신저를 통해 스터디코치의 진행 아래 온라인으로 함께 학습하며, 스터디코치가 제공하는 아티클이나 영상 등 학습 자료를 '자신이 편한 시간에' 학습할 수 있다. 또한 수시로 질문을 던지고 스터디코치의 답변을 받거나 다른 학습자들과 토론하면서 보다 빠르게 깊은 이해를 도모할 수 있다.

뿐만 아니라 일부 스터디 모임에서는 PBL을 할 수도 있다. 예를 들어 데이터 분석 스터디 모임에서 실제 기업의 데이터를 뜯어보며 데이터 분석 실무를 익히는 식이다. 이는 낮은 수료율 및 실무와의 괴리 때문에 실질적인 효과를 기대하기 어렵다는 온라인 강의에 대한 인식을 불식시키고 있다.

04

최고에게
배우기를 원한다면

폴인, 콜로소, 마스터클래스

이번에는 각 분야에서 최고로 평가받는 전문가들의 시각과 지식을 배울 수 있는 서비스를 소개한다. 물론 앞서 살펴본 서비스에서도 내로라 하는 전문가들을 만나볼 수 있다. 다만 지금부터 다루려는 서비스들은 업계 안에서도, 대중적으로도 잘 알려진 명사들이 전면에 나서 교육을 제공한다는 점에서 조금 다르다.

무언가를 배울 때에는 어떻게 배우느냐 못지않게 누구에게 배우느냐도 중요하다. 그리고 지식과 경험을 전달하는 전문가가 뛰어난 커리어를 지니고 있다면, 그 커리어를 뒷받침할 만큼의 콘텐츠를 지니고 있다면, 그 콘텐츠를 쌓아올리기 위해 수많은 시행착오와 고민을 거듭했다면 그보다 훌륭한 선생님은 찾기 어려울 것이다. 그래서 이들을 내세운 서비스들을 단순히 유명세에 의존했다고 치부하기에는 아직 이르다.

더욱이 이러한 전문가들을 섭외하고 시장에 서비스를 내놓는 이들도 기존의 성인 교육시장을 혁신하기 위한 방편을 고민해온 사람들이다. 이들 역시 전문가들의 명성에 기대는 게 아니라, 양질의 콘텐츠를 학습자에게 전달하는 방식을 끊임없이 연구하고 개선하기 위해 노력하고 있다. 이와 같은 시도가 성공적으로 안착할 수 있다면, 일잘러로 성장하기를 꿈꾸고 각자의 분야에서 유의미한 성취를 남기고 싶어 하는 밀레니얼 세대에게 매우 유용한 배움터가 될 것이다.

1) 폴인: 내일의 변화를 읽는 시간

① 제공 방식: 유료 멤버십 서비스

② 학습 방식: 디지털 리포트, 스터디, 세미나

③ 소개

폴인은 자신만의 통찰을 지닌 현장의 전문가와 그들처럼 성장하고 싶은 독자를 연결하는 지식 콘텐츠 플랫폼이다. 폴인은 현장의 전문가를 '링커'라고 지칭한다. 배달의민족, 토스Toss, 블루홀Bluehole 등을 육성한 벤처캐피털인 알토스벤쳐스Altos Ventures의 김한준 대표, 홍익대학교 건축학과의 유현준 교수, 구글코리아의 민혜경 HR총괄이사, 우아한형제들의 김범준 대표 등 350명이 넘는 인사들이 링커로 참여하고 있다.

폴인은 링커들을 통해 빠르고 깊이 있는, 다양한 현장의 이야기를 전하고자 하며, 최신 비즈니스 트렌드를 이끄는 혁신가의 경험담을 정제하여 지식 콘텐츠로 가공한다.

2020년 8월 현재 폴인은 크게 네 가지의 서비스를 제공한다. 첫 번째는 링커의 이야기를 풀어내는 '폴인스토리'다. 이용자는 이 콘텐츠를 통해 링커들의 지식과 경험을 흡수할 수 있다. 두 번째는 컨퍼런스나 워크숍 등 다양한 형태의 강연을 제공하는 '폴인세미나'다. 이 서비스를 이용하는 사람들은 온/오프라인을 통해 링커들의 통찰을 직접 배울 수 있다. 세 번째는 링커들과 함께 3개월간 여러 차례 모여 함께 배우는 '폴인스터디'다. 토의나 활동이 포함된 이 프로그램은 강연과 커뮤니티가 결합된 형태이며, 이용자는 업계 최고의 전문가와 교류하며 더욱 밀도 있는 배움을 얻을 수 있다. 마지막으로, 링커가 직접 기획하고 진행하는 온/오프라인 모임인 '링커클럽'이다.

폴인은 이 모든 것을 효율적으로 이용할 수 있는 멤버십 서비스를 런칭했다. 멤버십에 가입한 이용자들은 한 달에 한 번 일정 금액을 납부하고 폴인스토리를 무제한 열람할 수 있으며, 폴인스터디, 폴인세미나, 링커클럽을 할인된 가격에 이용할 수 있다. 또한 2020년에 런칭한 폴인의 종이 신문 콘텐츠《폴인페이퍼》를 구독할 수 있다. 이처럼 다양한 혜택을 제공받는 멤버십 서비스를 설계한 것은 일정한 금액만으로도 입체적인 학습 경험을 얻도록 하기 위해서이다. 디지털 생활비를 늘리는 데 한계가 있지만 온라인과 오프라인을 넘나드는 배움을 원하는 이들에게 매력적인 선택지임이 분명하다.

2) 콜로소: 탑클래스 전문가의 실무 교육

① 제공 방식: 유료 교육과정

② 학습 방식: 온라인 강의

③ 소개

패스트캠퍼스가 런칭한 온라인 교육 프로그램, 콜로소Coloso는 헤어 디자인, 네일아트, 요리, 제과/제빵, 웹소설, 웹툰, 패션 디자인 등 다양한 분야의 최고 전문가들을 만나볼 수 있는 서비스다. 콜로소는 지금까지 도제식 교육이 행해지던, 정보의 비대칭이 존재하는 직업군이 존재한다는 데 문제의식을 가지고, 이들에게 필요한 교육 콘텐츠를 온라인으로 제공한다. 이는 종래의 성인 실무 교육시장의 구조에서 적절한 배움터를 찾을 수 없었던 사람들에게 풍부한 교육 기회와 무한에 가까운 접근성을 선사한다는 점에서 큰 의의가 있다.

콜로소는 각 분야에서 굳건한 위치를 차지한 이들을 강사로 내세운다. 이용자는 미슐랭 셰프에게 요리를, 인기 웹툰 작가에게 스토리 기획과 그림을 그리는 법을, 유명 헤어 디자이너에게 헤어스타일 연출법을, 히트곡 작곡가에게 작곡 노하우를, 드로잉 대가에게 인물과 배경 작화법을 전수받을 수 있다. 대중의 관심은 많지만 진입 장벽이 높았던 분야를 배울 수 있는 기회를 제공하고 있는 셈이다.

사실 기존의 성인 실무 교육시장은 비즈니스 스킬이나 디지털 역량 등 사무 중심의 기업에서 필요로 하는 실무 교육에 집중해온 것이 사실이다. 그러나 콜로소는 밀레니얼 세대를 중심으로 그간 사각지대로 남아 있던 직업군에 대한 관심이 높아지고 있다는 점에 주목했다. 그리고 '필요한 기술을 배울 곳이 마땅치 않다'는 점을 효과적으로 파고들었다. 덕분에 2019년에 런칭한 콜로소는 출시 3개월만에 회원이 1만 4,000명을 넘어섰으며, 다양한 커리어를 꿈꾸는 밀레니얼 세대를 사로잡고 있다.

콜로소 이외에도 이러한 서비스를 제공하는 곳들이 점차 늘고 있다. 그중에서도 가장 인상적인 서비스는 "준비물까지 챙겨주는 온라인 클래스"를 지향하는 클래스101의 '시그니처클래스Signature Class'다. 학습자들은 이곳에서 영화 감독의 영화 제작 강의, 힙합 프로듀서의 프로듀싱 강의, 유명 셰프의 프랑스 코스 요리 강의, 마술사의 마술 강의, 외식업으로 이름을 떨친 사업가의 외식 창업 강의, 유튜브 크리에이터들의 유튜브 콘텐츠 제작 강의 등을 온라인으로 만나볼 수 있다. 또한 시그니처클래스는 유튜브 콘텐츠 제작 클래스에 등록하면 필요한 촬영 장비를 제공하는 등 각 강의에 필요한 준비물까지 모두 챙겨준다는 점에서 다른 서비스들과 차별화된다.

이 외에 원더월Wonderwall 이나 바이블Vible 처럼 문화예술 분야에서 활발하게 활동하고 있는 예술가들의 온라인 강의를 제공하는 서비스도 속속 등장하고 있다. 이와 같은 서비스들이 성공 사례로 남을지, 그리고 지속 가능한 교육 플랫폼으로 거듭날지는 지켜봐야 할 문제이다. 하지만 밀레니얼 세대에게 풍성한 학습 생태계를 제공한다는 측면에서 매우 긍정적인 변화다.

3) 마스터클래스: 세계 최고의 전문가에게 배우는 온라인 교육

① 제공 방식: 연 단위 구독 서비스, 유료 교육과정

② 학습 방식: 온라인 강의

③ 소개

마스터클래스는 말 그대로 '세계 최고의 명사'들이 자신의 지식과 경험을 온라인 강의로 전달하는 서비스다. 여성 테니스계의 전설 세리나 윌리엄스Serena Williams, 영화계의 거장 마틴 스코세이지Martin Scorsese, 베스트셀러 작가 맬컴 글래드웰Malcolm Gladwell, 스타벅스의 창업자 하워드 슐츠Howard Schultz, 유명 패션디자이너 마크 제이콥스Marc Jacobs, 아카데미 여우주연상에 빛나는 내털리 포트먼Natalie Portman 등이 강사로 참여하고 있다.

마스터클래스는 성장 가능성을 인정받으며 2020년 5월까지 2억 4,000만 달러의 투자금을 유치했으며, 앞서 살펴본 콜로소나 시그니처 클래스, 바이블, 원더월과 같은 서비스에 영향을 미쳤다.

마스터클래스는 2020년 7월 기준 평균 20여 개의 영상으로 구성된 80여 개의 강의를 제공하고 있으며, 각 영상은 10분 정도의 길이로 제작되었다. 연간 180달러를 지불하고 이 강의들을 마음껏 이용할 수 있고, 90달러를 지불하고 한 가지 강의만 듣는 것도 가능하다. 스마트

TV, 데스크탑, 랩탑, 스마트폰, 태블릿PC 등 다양한 기기로 볼 수 있기에 접근성이 매우 높다. 학습자는 각 영상의 내용을 요약하거나 추가적인 정보를 담은 PDF 노트를 받아볼 수 있을 뿐만 아니라 일부 마스터는 화상통화를 통해 과제에 대한 피드백을 제공하거나, 오프라인에서 교류하며 가르침을 전달하기도 한다.

마스터클래스의 강의는 명사들의 성공 스토리보다는 스킬을 가르치는 데 집중한다. 그러나 이들의 강의는 학습자가 전문적인 기술을 숙련할 수 있는 교육과정이라기보다 한 분야의 명사를 통해 학습자들의 관심을 제고하고 굵직한 내용과 강력한 동기부여를 제공하는 콘텐츠에 가깝다. 이러한 특성 탓에 마스터클래스의 콘텐츠는 다큐멘터리 같다는 평가를 받기도 하고, 교육과 엔터테인먼트의 결합한 에듀테인먼트 edutainment 로 분류되기도 한다.

마스터클래스가 학습자에게 제공하는 효용이 일반적인 실무 교육과 동일하다고 보기에는 무리가 있다. 한 분야에서 가장 뛰어난 재능을 가진 사람에게 배우는 것은 다른 훌륭한 실무자들로부터 배우는 것과는 다른 학습 경험을 선사한다. 마스터클래스에 기대하는 바가 명확하고, 그 기대치와 자신에게 필요한 지식과 경험이 일치하는 이에게는 이보다 훌륭한 배움터가 없을 것이다.

05

지식의 소비자에서 생산자로
거듭나고 싶다면

탈잉, 유데미, 스킬셰어

마지막으로 살펴볼 서비스들은 지식을 얻는 소비자도 지식 생산자로 참여할 수 있는 학습 플랫폼이다. 자신의 역량을 갈고 닦기 위해 무던히 노력하는 '요즘 사람들'은 저마다 자신만의 콘텐츠를 품고 있는 전문가다. 일터든 취미든 사소한 습관이든 한 사람이 지닌 스킬, 아이디어, 경험은 지식 상품으로서 가치를 가진다. 이미 평범한 개인들의 비범한 콘텐츠가 각종 영상 플랫폼을 잠식한 지 오래되었다. 유튜브 크리에이터나 트위치Twitch 스트리머가 연예인 못지않은 인기를 누리고 높은 수익을 올리는 일이 더 이상 낯설지 않다.

지식 상품에 대한 수요와 공급을 이어주는 플랫폼이 등장하면서 많은 밀레니얼 세대가 지식 산업의 프로슈머로 거듭나고 있다. 이러한 변화는 '회사가 나를 지켜주지 않는다'는 인식의 확산 및 N잡러의 출현과 긴밀하게 연결되어 있다. 경쟁력 있는 지식 상품을 가졌다면 직장인, 프리랜서, 학생 할 것 없이 적극적인 프로슈머로 활동하려고 하기 때문이다. 이들을 지원하는 학습 플랫폼은 자신만의 콘텐츠를 가진 이들이 교육 콘텐츠를 제작하거나 판매할 수 있도록 돕는다. 이미 많은 밀레니얼 세대가 이런 플랫폼에서 강의를 구매하고 배움을 얻고 있다.

1) 탈잉: 세상의 모든 재능

① 제공 방식: 유료 교육과정

② 학습 방식: 온/오프라인 강의

③ 소개

탈잉은 자기 계발과 강의에 중점을 둔 재능 공유 플랫폼이다. 자신의 지식과 재능을 나누고자 하는 사람들이 일련의 심사 과정을 거쳐 '튜터'로 참여하며, 튜터는 수업을 개설하고 학습자들을 모아 자신의 콘텐츠를 전달한다. 이 서비스는 "누구나 튜터가 될 수 있고 어떠한 재능이든지 수업 소재가 될 수 있다"라는 원칙을 가지고 있다. 물론 개설된 강의도 엄연히 상품인 만큼 비용을 지불할 만한 가치를 지녔는지에 대한 검증 과정은 두고 있다.

이용자들이 탈잉에서 만나볼 수 있는 강의는 실로 다양하다. 디자인, 실무 역량, 뷰티, 영상, 외국어, 음악, 라이프스타일 등 다루는 카테고리가 광범위할 뿐만 아니라 일대일 수업, 그룹 수업, 원데이 클래스 등 학습자의 수요에 맞춰 온/오프라인 강의를 제공한다. 강의를 듣기 위해 지불해야 하는 금액이 높지 않아서 비용에 따른 장벽은 낮은 편이다.

2019년에 VOD 서비스를 런칭한 점이 주목할 만하다. 이 서비스는 온라인 강의와 유사한 형태로 구성되며, 가격은 기존의 탈잉 수강료보다 높다. 하지만 VOD로 제공되는 강의들은 검증된 강사와 커리큘럼을 바탕으로 개발되었기 때문에 충분한 효용이 있다. 이로써 탈잉은 재능 공유 플랫폼을 넘어 온/오프라인 교육 플랫폼으로 거듭나고 있다.

2) 유데미: 모든 사람들의 대학

① 제공 방식: 유료 교육과정

② 학습 방식: 온라인 강의

③ 소개

'모든 사람들의 대학'을 지향하는 유데미는 2010년에 설립된 온라인 교육 플랫폼이다. 유데미는 '누구나 학생이 되고 선생님이 되는' 서비스를 제공한다. 온라인 강의를 볼 수 있을 뿐만 아니라 학위 취득 여부나 경력과 상관없이 자신만의 강의를 개설하여 수익을 올릴 수 있다.

유데미 역시 강의의 품질 관리를 위해 심사 절차와 기준을 두고 있지만, 원칙적으로 이용자가 개설하는 강의 주제나 강의료에 간섭하지 않는다. 덕분에 유데미는 수많은 강사와 광범위한 주제의 교육 콘텐츠를 공급하는 학습 플랫폼으로 거듭날 수 있었다. 학습자는 유데미를 이용하며 디지털 마케팅이나 프로그래밍과 같은 실무 관련 강의를 들을 수 있을 뿐만 아니라 요가, 글쓰기, 퍼스널 브랜딩personal branding, 사진 찍는 법과 같이 여가나 라이프스타일에 대해 학습할 수도 있다. 2020년을 기준으로 유데미가 보유한 강사는 5만7,000명 이상이며, 개설된 교육과정은 15만 개에 달한다.

유데미는 기업을 대상으로 직무 교육을 제공하는 유데미 포 비즈니스Udemy for Business도 운영 중이다. 전 세계 5,000개 이상의 기업이 이 서비스를 이용하며, 일터에서 종사하는 직장인들은 이를 통해 양질의 교육 콘텐츠를 학습한다. 기업 교육 담당자에게 조직 구성원들의 학습 활동 관리 기능을 제공하는 것은 물론이다.

유데미가 여타 MOOC와 차별화되는 지점은 대학에서 생산되는 이론적인 지식보다 삶, 일터와 밀접한 실용적인 지식을 제공한다는 것이었다. 그러나 시간이 흐르며 여러 온라인 학습 플랫폼이 실무 역량을 기를 수 있는 교육 콘텐츠를 제공함으로써 그런 장점이 과거보다 희석된 것이 사실이다. 그러나 누군가를 가르칠 기회를 얻을 수 있다는 점은 여전한 경쟁력이다. 앞서 살펴본 바와 같이 다른 사람을 가르치는 일은 그 어떤 배움보다 강력한 학습 경험을 선사한다. 유데미만의 강점, 즉 오랜 시간 축적된 교육 콘텐츠와 자신만의 강의를 개설할 기회는 밀레니얼 세대에게도 남다른 가치를 제공한다.

3) 스킬셰어: 당신의 창의성을 탐험하라

① 제공 방식: 월정액 구독 서비스

② 학습 방식: 온라인 강의

③ 소개

스킬셰어Skillshare는 이름 그대로 모든 사람들이 자신의 스킬과 재능을 공유할 수 있는 학습 플랫폼이다. 유데미와 마찬가지로 직접 강의를 개설하거나 자신이 필요로 하는 강의를 들을 수 있다. 2020년 8월을 기준으로 스킬셰어는 1,200만 명의 학습자, 8,000명 이상의 강사, 약 30,000개에 달하는 강의를 보유하고 있다. 수많은 강사와 학습자를 보유하고 있다는 점, 광범위한 학습 주제를 아우른다는 점에서 종종 유데미와 비교된다.

스킬셰어는 크게 세 부분에서 유데미와 차이가 있다.

첫째, 교육 콘텐츠의 분량이다. 유데미에 교육과정을 개설하기 위해서는 총 학습 시간이 30분 이상이어야 한다. 그러나 스킬셰어는 그 기준이 10분으로 더 짧기 때문에 상대적으로 핵심만 압축한 학습이 가능하다. 이것이 콘텐츠의 질을 판단하는 기준이 될 수는 없지만, 학습자의 학습 경험은 달라질 것이다.

둘째, 프로젝트 과제의 유무다. 유데미와 달리 스킬셰어에서는 적어도 하나 이상의 프로젝트 과제를 수행해야 한다. 또한 학습자들은 자신의 결과물을 스킬셰어에 업로드하고 강사는 물론이고 다른 학습자들과 피드백을 주고받으며 상호작용할 수 있다. 이러한 학습 경험은 배우려는 스킬을 보다 깊게 습득할 수 있도록 돕는다.

셋째, 결제 방식이다. 유데미에서는 개별 강의를 구매해야 하지만, 스킬셰어는 정기적으로 비용을 지불하고 모든 강의를 들을 수 있는 구독 모델이다. 학습자는 월 19달러, 연 99달러에 무제한 수강이 가능하다. 따라서 여러 가지를 배우고 싶고 지속적으로 학습하고 싶은 사람들에게는 스킬셰어가 좀 더 경제적이다. 또한 스킬셰어는 애니메이션, 디자인, 일러스트레이션, 사진, 글쓰기 등의 분야에 집중하고 있기 때문에 이런 주제에 관심을 가진 이들에게는 매우 큰 효용을 제공한다.

이외에도 두 서비스 간의 차이점이 존재하지만, 이용자 입장에서 크게 고려할 만한 것들은 아니다. 또한 두 서비스 중 어떤 것이 더 유용한지는 학습 목적이나 개인의 특성에 따라 다를 수 있다. 따라서 유데미와 스킬셰어를 두고 고민하는 밀레니얼 세대가 있다면 상기한 세 가지 차이점을 감안하여 자신에게 맞는 서비스를 이용하는 것이 바람직하다.

오늘도 우리는 배움과 성장을 갈망한다.
그것도 아주 맹렬하게

직장인이 되고 마주한 가장 큰 어려움은 뜀박질의 속도를 조절하는 것이었다. '일의 여정'에는 결승점이 없었다. 어디로 가야 할지 모른다면 빠르게 뛴들 아무 소용이 없었다. 엄지발가락에 힘을 싣고 발을 굴러봐야 가쁜 숨을 몰아쉴 뿐이다. 마음 내키는 대로 일의 갈래나 방향을 끼적일 수는 있지만, 그것만으로 무언가를 이루기에는 턱없이 모자랐다. 정답이 없는 길을 달리며 호흡을 고르기 위해 필요한 태도들을 깨달은 건 나중의 일이다. 엄습하는 모호함을 견뎌야 함을, '성장하는 중'이라는 확신을 가져야 함을, 이 모든 것을 위해서는 꾸준히 배움을 탐닉해야 함을.

언젠가부터 회사에서 발급하는 성적표나 동료들의 칭찬과 격려에 큰 감흥이 없어졌다. 아마도 지금껏 일해온 시간이 제법 묵직하게 느껴졌기 때문은 아닐지. 앳된 신입사원 티를 벗은 지는 오래고, 마음에 쏙 드는 일을 벌여보고 싶은 마음이 스멀스멀 기어 나오는 시기, 주변의 추어올림만으로는 성에 차지 않는 시기. 내게 8년이라는 경력의 질량은 그 정도였다. 그러자 마음 한편에 불안하기 짝이 없는 의문이 자리 잡았다. 그래서, 직장생활이란 나에게 어떤 의미일까. 이대로 충분할까. 나는 어지간한 경력만큼 일을 잘하는 사람일까.

생각해보면 1년이든 8년이든 20년이든 '경력' 자체만을 일잘러의 증표로 삼는 건 불완전하다. 일해온 시간의 길이를 재보거나 직함 또는 연봉의 무게를 달아보는 것만으로는 일을 잘하는 이를 가려낼 수 없다. 오히려 일터를 성장의 터전으로 가꾸는 것은 오롯이 나 자신의 몫이었다. 이를 깨닫기까지는 시간이 좀 걸렸다. 의미 있는 일을 하고 그 과정을 통해 성장하기 위해서는 '배움'을 통해 새로운 근육을 단련해야 한다는 것도 배웠다. 여간 번거로운 일이 아니지만, 조금씩이나마 나아져야 나만의 경쟁력, 나다운 삶을 상상할 수 있다고 믿는다. 그렇기에 이 과정은 지난해도 귀한 가치가 있다.

이러한 마음은 비단 나만의 이야기가 아닐 것이다. 같은 시대를 살아가는 밀레니얼 세대, 더 나아가 '요즘 직장인' 대다수의 바람이 아닐지. 오늘날 일잘러를 꿈꾸는 이들의 욕망을 충족할 수 있는 배움터가 빠르게, 다양하게, 풍성하게 진화하고 있는 것이 참 다행이지 싶다.

이와 같은 변화는 우리 세대의 배움터가 '그저 주어지는 교육'이 아닌, '주체적인 학습'을 위한 곳으로 거듭나고 있기 때문이다. 배움의 무게추는 공급자가 아닌 학습자로 이동하고 있고, 디지털 기술의 발달은 새로운 배움의 습관이 빚어낸다. 늘 지식과 경험을 탐하는 밀레니얼 직장인으로서, 사람들에게 필요한 서비스를 제공하고자 하는 한 사람으로서 이 과정을 지켜보는 것은 매우 흥미진진한 일이다.

물론 이처럼 역동적인 변화도 그저 흥미로운 실험에 그칠지 모른다. 그러나 '밀레니얼 세대의 욕구'를 해결하기 위해 한 발자국씩 내딛는 이러한 과정은 보다 풍성하고 매력적인 학습 생태계를 조성한다. 이런 노력들이 다른 누구가 아닌, 새로운 학습 경험을 원하는 젊은 세대를 위한 지적 자본으로 이어지기를 염원한다. 이 책이 그 과정에 보탬이 된다면 더 바랄 것이 없다.

1장 성장을 욕망하는 세대가 온다

• 〈2018 평생직장 및 성인 교육시장 관련 인식 평가〉, 엠브레인 트렌드모니터, 2018. 8.
• 〈2019 밀레니얼 서베이 결과 발표〉, 딜로이트컨설팅, 2019. 5. 21.
• 〈2019 평생직장 등의 직업관 및 긱경제 관련 인식 조사〉, 엠브레인 트렌드모니터, 2019. 7.
• 〈2020년 5월 고용동향〉, 통계청, 2020. 6. 10.
• 서동철, 이유섭, 임형준, 송민근, 〈[밀레니얼 직장인 리포트 ①] IMF 실직 목격했던 30대…'카톡보고' 익숙한 20대〉, 매일경제, 2019. 11. 3.
• 신승희, 〈기업 평균 퇴사율 18%, 1년차 이하 퇴사율 가장 높아!〉, 《베리타스 알파》, 2019. 7. 30.
• 신승희, 〈직장인 10명 중 4명은 '샐러던트'…자기계발비로 월 17만 1000원 지출〉, 베리타스 알파》, 2019. 3. 11.

- "2018 Millennials at Work Report", *Udemy*, 2018. 11. 14.
- "A Summary of Talking about My Generation: Exploring the Benefits Engagement Challenge", *Barclays*, 2013. 11.
- "Lifelong Learning: How to survive in the age of automation", *The Economist*, 2017. 1.
- "Millennial Careers: 2020 Vision", *Manpower Group*, 2016.
- "The Deloitte Global Millennial Survey", *Deloitte*, 2019.
- "The Learner Voice Part 3: What can millennials teach us about supporting learning in the workplace?", *Towards Maturity*, 2016. 10.
- Adkins, Amy and Rigoni, Brandon., "Millennials Want Jobs to Be Development Opportunities", *Gallup*, 2016. 6. 30.
- Dimock, Michael., "Defining generations: Where Millennials end and Generation Z begins", *Pew Research Center*, 2019. 1. 17.
- Duffy, Bobby., Shrimpton, Hannah and Clemencel, Michael., "Millennial Myths and Realities", *IPSOS MORI*, 2017.
- Gilchrist, Karen., "How millennials and Gen Z are reshaping the future of the workforce", *CNBC*, 2019. 3. 5.
- Hall, D. T., "Protean Careers of the 21st Century", *The Academy of Management Executive*, 10(4), 1996.
- Strauss, Bill., Strauss, William., Howe, Neil., *(Generations: The History of America's Future, 1584 to 2069)*, Morrow, 1991.
- Strauss, William., Howe, Neil., *(Generations: The History of America's Future, 1584 to 2069)*, HarperCollins, 1992.
- Jaju, Ruchi., "The changing paradigms of marketing in the era of Millennials and Gen Z", *Medium*, 2019. 1. 22.
- Kovács–Ondrejkovic, Orsolya., Strack., Antebi, Pierre., López Gobernado, Ana. and Lyle, Elizabeth., "Decoding global trends in upskilling and reskilling", *Boston Consulting Group*, 2019. 11. 5.
- Lettink, Anita., "No, Millennials will NOT be 75% of the Workforce in 2025(or

ever)!", *LinkedIn*, 2019. 9. 17.
- Lettink, Anita., "What you've heard about Millennials is wrong", *NGA Human Resources*, 2019.
- Maclean, Amy., "Training the Boomers, X'ers and Millennials", *Cablefax*, 2015. 3. 2.
- Noe, Raymond., 《*Employee Training & Development*》, 7th Edition, *McGraw-Hill Education*, 2017.
- Tilford, Cale., "The millennial moment — in charts", *Financial Times*, 2018. 6. 6.

2장 밀레니얼은 맹렬하게 배운다

- 〈세계교육의 큰 흐름, 소셜러닝〉, 교육부.
- 구은혜, 〈디지털콘텐츠(VR, AR, MR), 산업테마보고서〉, (주)나이스디앤비, 2019.
- 김경민, 〈창업가들에게 유용한 미국 MOOC 플랫폼〉, 《KOTRA 해외시장뉴스》, 2019. 4. 10.
- 김민정, 〈미래 사회로 가는 교육 키워드, 소셜러닝〉, 《블로터》, 2019. 5. 29.
- 김지언, 〈xAPI, 새로운 학습 데이터 표준의 오늘과 내일〉, 《EDUTECH Monthly》, 휴넷, 2019. 3.
- 박병훈, 〈ITOA(IT operations analytics)에 대한 이해와 기술 동향〉, K-ICT클라우드혁신센터, 2017.
- 범원택, 〈인공지능 기반 에듀테크 기업 및 서비스 동향〉, 정보통신산업진흥원, 2019.
- 배미정, 〈[DBR/Case Study]누구나 강사 될 수 있게 '장벽' 없애… 3만명 확보〉, 《동아일보》, 2018. 5. 21.
- 사토 가츠아키 저, 양필성 역, 《내가 미래를 앞서가는 이유》, 스몰빅인사이트, 2016.
- 야콥 부르크하르트 저, 이기숙 역, 《이탈리아 르네상스의 문화》, 한길사, 2003.
- 오영주, 〈Section 4. 교육 데이터와 적응형 학습(Educational Data & Adaptive Learning)〉, 《학교의 미래, 미래의 학교 - SXSWedu 2016》, PUBLY, 2016.
- 요세 아레츠, 찰스 제닝스, 비비안 하인넨 저, 이찬, 조광남, 전동원 역, 《HRD 혁신을 위한 뉴 패러다임 702010 Framework》, 두하우컨설팅, 2016.

- 엘렌 러펠 셸 저, 김후 역, 《왜 중산층의 직업이 사라지는가》, 예문아카이브, 2019.
- 이경탁, 〈과기정통부, VR · AR 등 디지털콘텐츠 육성에 1900억 원 투입〉, 《조선비즈》, 2020. 1. 29.
- 이상준, 〈ATD 2018 ICE에서 살펴본 HRD의 현재와 미래〉, 《EDUTECH Monthly》, 휴넷, 2018. 6.
- 이상준, 〈게임기반학습(Game-based Learning)의 글로벌 시장규모와 성장 가능성 : '아이들의 오락거리'에서 '강력한 학습 도구'로의 진화〉, 《EDUTECH Monthly》, 휴넷, 2018. 4.
- 이상준, 〈풍성한 학습 설계를 위한 조력자, 증강지능과 교육 · 학습의 결합〉, 《EDUTECH Monthly》, 휴넷, 2018. 8.
- 이상준, 〈학습분석에 대한 몇 가지 중요한 질문들〉, 《EDUTECH Monthly》, 휴넷, 2018. 10.
- 임강우&서경원, 〈AR/VR 기술, KISTEP 기술동향브리프〉, 한국과학기술기획평가원, 2018.
- 조봉수, 《미래의 교육, 올린 - 현존하는 가장 이상적인 학교》, 스리체어스, 2017.
- 조지프 E. 아운 저, 김홍옥 역, 《AI시대의 고등교육》, 에코리브르, 2019.
- 지민구, 〈최태원의 야심작… SK 직원교육 플랫폼 '마이서니' 곧 날개 편다〉, 동아닷컴, 2020. 1. 14.
- 제니퍼 딜&알렉 레빈슨 저, 박정민 역, 《밀레니얼 세대가 일터에서 원하는 것》, 박영스토리, 2017.
- 최진응, 〈가상현실(VR) · 증강현실(AR) 산업정책의 평가와 개선과제〉, 국회입법조사처, 2019.
- 토니 빙엄&마르시아 코너 저, 이찬 역, 《새로운 소셜러닝》, 유비온, 2016.
- 토드 로즈 저, 정미나 역, 《평균의 종말》, 21세기북스, 2018.
- 함현정&최원설, 〈기업 내 R&D분야 엔지니어의 무형식학습방법과 학습전이 관계에서 긍정심리자본의 매개효과〉, 《HRD연구(구 인력개발연구)》 17권 4호, 한국인력개발학회, 2015.
- 홍정민, 이현욱, 이상준, 김지언 저, 《어떻게 기술이 최고의 인재를 만드는가》, 행복한 북클럽, 2019.

- "10 charts that explain the Global Education Technology Market", *Holon IQ*, 2019. 1. 30.
- "2015 Deloitte Global Human Capital Trends", *Deloitte Insights*, 2015.
- "2016 Deloitte Global Human Capital Trends", *Deloitte Insights*, 2016.
- "2017 Deloitte Global Human Capital Trends", *Deloitte Insights*, 2017.
- "2018 Deloitte Global Human Capital Trends", *Deloitte Insights*, 2018.
- "2019 Deloitte Global Human Capital Trends", *Deloitte Insights*, 2019.
- "In the footsteps of trailblazers: How Walmart embraces Immersive Learning", STRIVR.
- "It's Learning. Just not as we know it", *Accenture*, 2018.
- "Jobs lost, jobs gained: Workforce transitions in a time of automation", *McKinsey Global Institute*, 2017.
- "President Donald J. Trump's Executive Order on Workforce Development", *White House*, 2018. 7. 19.
- "Skill shift Automation and the future of the workforce", *McKinsey Global Institute*, 2018.
- "The Future of Jobs Report 2018", *World Economic Forum*, 2018.
- "The Global Skills Shortage", *SHRM*, 2019.
- "The talent challenge: Harnessing the power of human skills in the machine age" *PwC*, 2017.
- "Top Tools for Learning: Results of the 13th Annual Learning Tools Survey", *Centre for Learning & Performance Technologies*, 2019. 11. 18.
- "Worldwide Spending on Augmented and Virtual Reality Expected to Reach $18.8 Billion in 2020, According to IDC", *International Data Corporation*, 2019. 11. 27.
- Adkins, Sam., "The 2016–2021 Worldwide Self-paced eLearning Market: Global eLearning Market in Steep Decline", *Ambient Insight*, 2016.
- Adkins, Sam., "The 2016–2021 Global Game-based Learning Market", *Metaari*, 2017.
- Baker, Mary., "Gartner Says Only 20 Percent of Employees Have The Skills

Needed For Both Their Current Role And Their Future Career", *Gartner*, 2018. 9. 6.

· Bersin, Josh., "New Research Shows Heavy Learners More Confident, Successful, and Happy at Work", *LinkedIn*, 2018. 11. 10.

· Boulton, Clint., "4 promising AR/VR pilots in business", *CIO*, 2019. 11. 8.

· Branscombe, Mary., "7 IT projects primed for augmented reality and virtual reality", *CIO*, 2018. 10. 5.

· Chelovechkov, Artem and Spar, Benjamin., "2019 Workplace Learning Report", *LinkedIn Learning*, 2019.

· Hoffman, Victoria., "Millennials in the workplace", *Docebo*, 2017.

· Kapko, Matt., "LinkedIn Learning puts Lynda.com to work", *CIO*, 2016. 9. 22.

· Kapko, Matt., "Why LinkedIn spent big on Lynda.com", *CIO*, 2015. 4. 16.

· LeVine, Steve., "Debt-saddled Millennials face a dim workforce future as robots wipe out more jobs", *Business Insider*, 2019. 4. 9.

· LeVine, Steve., "Deep Dive: For millennials, now come the robots", *Business Insider*, 2019. 4. 6.

· McGowan, Müge Adalet. and Andrews, Dan. "Skill Mismatch and Public Policy in OECD Countries", *OECD*, 2015.

· Morgan, Blake., "NOwnership, No Problem: Why Millennials Value Experiences Over Owning Things", *Forbes*, 2015. 1. 1.

· Paquette, Danielle., "Half of millennials could be competing with robots for jobs", *The Washington Post*, 2017. 5. 2.

· Robertson, Adi., "Walmart is training employees with a Black Friday VR simulator", The Verge, 2017. 1. 1.

· Rote, Miles., "Why Millennials Value Experiences Over Owning Things", *Under 30 Experiences*, 2019. 10. 1.

· Strauss, Karsten., "These Are The Skills Bosses Say New College Grads Do Not Have" *Forbes*, 2016. 5. 17

· Strauss, Valerie., "Why the 'learning pyramid' is wrong", *The Washington Post*, 2013. 3. 6.

- Takahashi, Dean., "GlobalFoundries uses PTC augmented reality to transform chip manufacturing", *Venture Beat*, 2019. 7. 30.
- Tompson, Nicholas., "Virtual assistant Google Duplex raises AI concerns", CBS This Morning, 2018. 5. 10.
- Wagner, Cristina., '10 Reasons Why Institutions Should Implement Learning Analytics', "e-Lean Special Edition: Learning Analytics", 2018.
- Roth, Margaret., "Virtual Reality Learning Analytics with xAPI", *DZone*, 2018. 8. 16.

3장 밀레니얼은 이렇게 배운다

- https://degreed.com/
- BC카드 빅데이터센터 저, 《빅데이터, 사람을 읽다》, 미래의창, 2019.
- 고승연, 〈"돈 내는 독서모임, 그게 장사가 돼?" '취향에 맞는 관계 맺음' 삼매경에 빠지다〉, 《동아비즈니스리뷰》, 2019. 9월.
- 김고은, 〈언론사 '오프라인 소통' 사업··· 조금씩 지갑 여는 독자들〉, 《한국기자협회》, 2019. 4. 23.
- 김남훈, 〈구독경제의 유형과 사례〉, 《산업융합시리즈-새로운 소비 트렌드로서의 구독경제》, 하나금융그룹, 2019.
- 김민아, 〈직장서 쓰는 '가면' 답답하지 않나…야망 있는 여성들 모여라〉, 《경향신문》, 2019. 8. 16.
- 김병수, 〈구독경제 Subscription Economy〉, 《매일경제》, 2019. 3. 27.
- 김소연, 〈뉴스 미디어 산업에 유료화 열풍이 부는 이유〉, 《ROA Insight Colum》, 2018.
- 김유정, "밀레니얼 세대는 지식 콘텐츠를 어떻게 소비하나", 500 The Bridge, 2019.
- 김정택, 〈MOOC의 정보자원화와 유통사업화를 위한 기반 조사〉, 한국과학기술정보연구원, 2016.
- 노이영, 〈왜, 지금 오디오북일까?〉, 《지금, 오디오북-한국에서 오디오북을 하면 안되는 걸까?》, PUBLY, 2018.
- 배예선&전우천, 〈온라인 공개 강좌 MOOC의 현황 분석 및 개선안 연구〉, 《한국정보통

신학회논문지》 18(12) : 3005~3012, 2014.

· 서정복, 《살롱문화》, 살림, 2003.

· 송화선, 〈눈앞에 다가온 미래 대학〉, 《주간동아》, 2017. 2. 27.

· 스티브 사마티노 저, 김정은 역, 《위대한 해체》, 인사이트앤뷰, 2015.

· 심동녘, 《디지털 콘텐츠 이용현황 : 유료 서비스 이용자를 중심으로》, 정보통신정책연
구원, 2019. 8. 15.

· 안정락, 〈'무크(MOOC)'의 부활…코세라, 가입자 1000만명 폭증 [안정락의 IT월드]〉,
《한국경제》, 2020. 5. 28.

· 오시영, 〈[스마트클라우드 2019] 박소령 퍼블리 대표 "구독경제는 야구시즌처럼 장기
적 관점으로 봐야"〉, 《IT조선》, 2019. 9. 18.

· 윤대균, 〈구독형 전자상거래(Subscription E-commerce)란 무엇인가?〉, 《KISA Report》,
한국인터넷진흥원, 2019.

· 윤예나, 〈진화하는 무크 비즈니스〉, 《WEEKLY BIZ》, 2016. 12. 10.

· 이상우, 〈'굳이 살 필요 있나?' 다양한 분야에 도입되는 구독형 서비스〉, 《동아닷컴》,
2018. 9. 7.

· 이상준, 〈풍성한 학습 설계를 위한 조력자, 증강지능과 교육 · 학습의 결합〉, 《EDUTECH
Monthly》, 휴넷, 2018. 9.

· 이석원, 〈팟빵 "2019년 1천만명 방문 · 유료 콘텐츠 69% 급증"〉, 《Venture Square》,
2020. 1. 2.

· 이예화, 〈"책 '듣는' 시장 커진다…쓰임새 다양해질 것"〉, 《Venture Square》, 2020. 2.
13.

· 이지영, 〈HR 분야 20년 한 우물 판 코너스톤이 답했다 "우리가 '러닝'을 중요하게 여
기는 이유는"〉, 《블로터》, 2019. 7. 12.

· 이지영, 〈'올드 디지털' 뉴스레터의 변신, 밀레니얼 사로잡다〉, 《The PR》, 2019. 6. 10.

· 이지현, 〈[IT열쉿말] 유다시티〉, 《블로터》, 2017. 4. 13.

· 이지현, 〈[IT열쉿말] MOOC〉, 《블로터》, 2015. 8. 27.

· 이지현, 〈유다시티, 유료 스터디 모임 서비스 공개〉, 《블로터》, 2016. 4. 24.

· 임춘호, 〈MZ세대 절반, "잡호핑(Job-Hopping)족 되고 싶다"〉, 《중소기업뉴스》, 2020. 3.
2.

- 장서윤, 〈구독경제가 이끄는 시대…주목해야 할 종목은?〉, 《이코노믹리뷰》, 2019. 12. 6.
- 정영일, 〈본격화된 레거시 미디어의 디지털 유료화…멤버십 모델도 재발견〉, 《이코노믹리뷰》, 2019. 6. 21.
- 조수민, 〈문화플랫폼에 관한 질적 연구: 살롱 이용자의 경험을 중심으로〉, 홍익대학교, 2019.
- 조유빈, 〈MZ세대가 가장 사랑한 브랜드는 이것〉, 《시사저널》, 2020. 2. 12.
- 최지혜, 〈2030 여성들, 커뮤니티-네트워킹에 빠지다〉, 《여성신문》, 2020. 3. 8.
- 티엔 추오&게이브 와이어트 저, 박선령 역, 《구독과 좋아요의 경제학》, 부키, 2019.
- 한상웅, 〈소유와 공유 가고, '구독이'가 온다!-구독 경제를 기반으로 성장할 미디어/엔터테인먼트 산업의 미래〉, 유진투자증권, 2019. 6. 4.
- 〈ICT Brief 2019-36〉, 정보통신기획평가원, 2019.
- "2018 Microlearning Global Benchmark Report", *Axonify*, 2018.
- "2018 Workplace Learning Report", *LinkedIn Learning*, 2018.
- "2019 Millennial Manager Workplace Survey", *Akumina*, 2019.
- "Bite-Size Revolution with Microlearning : Small Chunks, Big Returns", *G · CUBE*, 2017.
- "Critical Capabilities for Digital Commerce", *Gartner*, 2019.
- "Enterprise E-Learning Trends 2020", *Docebo*, 2020.
- "Global State of Mobile", *Comscore*, 2019.
- "Microlearning Market by Component(Solution and Services), Organization Size, Deployment Type, Industry (Retail, Manufacturing and Logistics, BFSI, Telecom and IT, Healthcare and Life Sciences), and Region – Global Forecast to 2024", *MarketandMarkets*, 2019.
- "MOOC Market by Component (Platforms (XMOOC and CMOOC), Services), Course (Humanities, Computer Science and Programming, and Business Management), User Type (High School, Undergraduate, Postgraduate, and Corporate) and Region – Global Forecast to 2023", *MarketandMarkets*, 2018.
- "The Consumer learner at work", *Toward Maturity*, 2016.

- "The Definitive Guide to Microlearning", *Valamis*, 2020. 1. 8.
- "The Podcast Consumer 2019", *Edison Research*, 2019.
- "The Smart Audio Report", *Edison Research*, 2020.
- "The Subscription Economy Grows More Than 350% Over 7.5 Years", *Business Wire*, 2019. 10. 3.
- "How Millennials Want to Work and Live", *Gallup*, 2016.
- Bersin, Josh., "A New Paradigm For Corporate Training: Learning In The Flow of Work", *Josh Bersin*, 2018. 6. 3.
- Bersin, Josh., "EdCast Acquires Leapest. Changing The LXP Game with Content, Marketplace, and LMS Features", *Josh Bersin*, 2019. 2. 11.
- Bersin, Josh., "Degreed Acquires Adepto: The LXP Showdown Begins", *Josh Bersin*, 2019. 12. 11.
- Bersin, Josh., "Learning Experience Platform (LXP) Market Grows Up: Now Too Big To Ignore", *Josh Bersin*, 2019. 3. 8.
- Bersin, Josh., "The Capability Academy: Where Corporate Training Is Going", *Josh Bersin*, 2019. 10. 5.
- Biswas, Sushman., "What Does EdCast's Acquisition of Leapest Mean for the LMS Market?", *HR Technologist*, 2019. 2. 18.
- Blazevic, Olivia., "What Are Micro Credentials and How Can They Benefit You?", *training.com.au.*, 2018. 8. 8.
- Bowden, Pat., "FutureLearn's 2019: Year in Review", *Class Central*, 2019. 12. 8.
- Chalabi, Mona., "Distance learning: who's doing it now", *The Guardian*, 2014. 1. 30.
- Chen, Tony., Fenyo, Ken., Yang, Sylvia and Zhang, Jessica., "Thinking inside the subscription box: New research on e-commerce consumers", *McKinsey & Company*, 2018.
- Clement, Jessica., "Average duration of daily internet usage worldwide as of 1st quarter 2019, by age group and device", *Statista*, 2019.
- Colquhoun, Neil., "Millennials driving the rise of MOOCS", *EPSON*, 2016. 6. 16.

- Daver, Shernaz., "Introducing Udacity Connect: Turbocharged Learning", *Udacity*, 2016. 4. 20.
- Feffer, Mark., "Degreed Acquires Adepto to Add Skills Insights to Learning Platform", *HCM Technology Report*, 2019. 12. 12.
- Gallagher, Sean., "'Talent' Has Become the New Theme Uniting Education and Employment", *EdSurge*, 2018. 5. 7.
- Gau, Cathy., "Degreed acquires talent platform Adepto", *Elevate Innovation Partners*, 2020. 5. 8.
- Giurgiu, Luminița., "Microlearning an Evolving Elearning Trend", *De Gruyter*, Volume 22:Issue 1, 2017.
- Horton, Purbasari, Anisa,. "Could micro-credentials compete with traditional degrees?", *BBC*, 2020. 2. 17.
- Leavoy, Paul., "Leveraging the Natural Synergy of Mobility and Microlearning in eLearning", *Docebo*, 2017.
- Mascarenhas, Natasha., "Degreed lands new cash for upskilling in a down market", *Tech Crunch*, 2020. 6. 17.
- Matney, Lucas., "VR workplace training startup Strivr lands $30 million Series B", *Tech Crunch*, 2020. 4. 1.
- Mendez, Manoel., "Udacity's 2019: Year in Review", *Class Central*, 2019. 12. 11.
- Moore, Susan., "Top 10 Trends in Digital Commerce", *Gartner*, 2019. 10. 3.
- Muhammad, Salwa., "Udacity Connect: Accelerated Blended Learning Comes Home to California", *Udacity*, 2017. 8. 18.
- Pandey, Asha., "10 Benefits Of Microlearning-Based Training", *eidesign*, 2016. 4. 11.
- Pappano, Laura., "The year of MOOC", *The New York Times*, 2012. 11. 14.
- Reich, Justin and Ruipérez-Valiente, José A., "The MOOC pivot", *Science* 363(6423):130~131, 2019.
- Rowe, Adam., "U.S. Audiobook Sales Neared $1 Billion In 2018, Growing 25% Year-Over-Year", *Forbes,* 2019. 7. 16.

- Shah, Dhawal., "By The Numbers: MOOCs in 2019", *Class Central*, 2019. 12. 2.
- Shah, Dhawal., "Coursera's 2019: Year in Review", *Class Central*, 2019. 12. 1.
- Shah, Dhawal., "EdX's 2019: Year in Review", *Class Central*, 2019. 12. 9.
- Shah, Dhawal., "Online Degrees Slowdown: A Review of MOOC Stats and Trends in 2019", *Class Central*, 2019. 12. 17.
- Shah, Dhawal., "Six Tiers of MOOC Monetization", *Class Central*, 2018. 1. 17.
- Silver, Laura., "Smartphone Ownership Is Growing Rapidly Around the World, but Not Always Equally", *Pew Research Center*, 2019. 2. 5.
- Singh, Ravi., "17 Awesome Resources on Micro-Learning", *eLearning Industry*, 2014. 5. 11.
- Stewart, Duncan., Casey, Mark and Wigginton Craig., "The ear have it: The rise of audiobooks and podcasting", *Deloitte*, 2019
- Symonds, Matt., "MOOCs Make Way For SPOCs In The Global Education Of Tomorrow", *Forbes*, 2019. 11. 7.
- Thomas, Zoe., "Netflix gets 16 million new sign-ups thanks to lockdown", *BBC*, 2020. 4. 22.
- Tracy, Marc., "Digital Revenue Exceeds Print for 1st Time for New York Times Company", *The New York Times*, 2020. 8. 5.
- Wan, Tony., "Can MOOCs Really Boost Your Career? Findings From Coursera's First Impact Report", *EdSurge*, 2015. 9. 22.
- Winnick, Michael., "Putting a Finger on Our Phone Obsession", *dscout*, 2016.
- Wood, Molly., "Cutting the High Cost of Digital Living", *The New York Times*, 2014. 7. 9.

4장 끊임없이 성장하고픈 밀레니얼을 위한 가이드

- https://coloso.co.kr
- https://learning.linkedin.com

- https://livesmarter.joins.com
- https://newneek.co
- https://publy.co
- https://select.ridibooks.com
- https://studypie.co
- https://taling.me
- https://thehfk.org
- https://www.coursera.org
- https://www.bookjournalism.com
- https://www.fastcampus.co.kr
- https://www.folin.co
- https://www.masterclass.com
- https://www.millie.co.kr
- https://www.udacity.com
- https://www.udemy.com
- https://www.skillshare.com
- 고현경, 〈[구독 특집] 밀레니얼 뉴스레터 '뉴닉'은 어떻게 탄생했나〉, 《채널예스》, 2019. 10. 11.
- 고현경, 〈[구독 특집] '일하는 사람들'을 위한 콘텐츠 '퍼블리'의 성장 이유〉, 《채널예스》, 2019. 10. 11.
- 기낙경, 〈[올해의 책 특집] 독서클럽 '트레바리' 이용 설명서〉, 《채널예스》, 2017. 12. 15.
- 김민수, 〈윤수영 트레바리 대표: 트레바리는 어떻게 독보적인 커뮤니티가 되었나〉, 《포브스 코리아》, 2020. 1. 2.
- 김민아, 〈직장서 쓰는 '가면' 답답하지 않나…야망 있는 여성들 모여라〉, 《경향신문》, 2019. 8. 16.
- 김성환, 〈NYT, FT를 리디셀렉트로…'아티클' 서비스 12월 18일 나온다〉, 《파이낸셜뉴스》, 2019. 11. 18.
- 김고은, 〈"뉴스에 관심 없는 게 아니라 '당신들'이 만든 뉴스가 재미없던 거야"〉, 《한국

기자협회〉, 2019. 7. 17.

· 김동호, 〈스타의 노하우, 인터넷으로 배운다〉, 《파이낸셜뉴스》, 2020. 2. 22.

· 김민정, 〈밀리의 서재, 종이책 정기구독 서비스도 시작한다〉, 《Platum》, 2019. 10. 1.

· 김인경, 〈밀리의 서재, "이용자 77%가 2030세대"〉, 《블로터》, 2019. 4. 8.

· 김주완&김남영, 〈오디오 콘텐츠…볼륨을 높여요〉, 《한국경제》, 2020. 3. 9.

· 김태주, 〈[Opinion] 팟캐스트, 일상의 자투리 시간을 채우다 [문화 전반]〉, 《아트인사이트》, 2019. 9. 16.

· 나건웅, 〈김소연 · 빈다은 뉴닉 공동 창업자 | 어려운 뉴스도 꼭꼭 씹어 설명해드려요〉, 《매경이코노미》, 2020. 2. 17.

· 노희선, 〈'브랜드' 주제로 3000명 모은 두 남자…"자기다움을 찾으면 그게 브랜드"〉, 《중앙일보》, 2018. 12. 21.

· 류승연, 〈일하는 여성, 진정한 '나'를 찾다〉, 《오마이뉴스》, 2019. 6. 21.

· 민혜진, 〈탈잉, 40억 원 규모 시리즈A 투자 유치〉, 《Venture Square》, 2019. 8. 12.

· 박세인, 〈[겨를] '지식큐레이터' 박소령 퍼블리 대표의 구독 서비스 개척기〉, 《한국일보》, 2019. 11. 13.

· 박원익, 〈'밀레니얼 잡지'… 콘텐츠 스타트업 뉴스 서비스 러시〉, 《조선비즈》, 2019. 11. 28.

· 박윤예, 〈'북저널리즘' 펴낸 이연대 대표 "신문뉴스 속보성 접목해 출판업 부활 이끌어요"〉, 《매일경제》, 2018. 10. 9.

· 박종관, 〈스터디파이, 적절한 규율 · 확실한 보상…4%대 인강 완주율 55%로 껑충〉, 《한국경제》, 2019. 6. 18.

· 방종임, 〈'인강'으로 입시 공부만? 전문가에게 음악 · 요리 · 사진까지 배운다〉, 《조선에듀》, 2020. 3. 9.

· 변수연, 〈[#그녀의_창업을_응원해] "빌라선샤인, 밀레니얼 여성을 위한 커리어 빌딩 플랫폼 될 것"〉, 《서울경제》, 2019. 8. 26.

· 배미정, 〈[DBR/Case Study] 누구나 강사 될 수 있게 '장벽' 없애…3만 명 확보〉, 《동아닷컴》, 2018. 5. 21.

· 백봉삼, 〈리디셀렉트에서 뉴스도 본다〉, 《ZDnet Korea》, 2019. 12. 18.

· 백봉삼, 〈밀리의 서재, 유명 북튜버와 '온라인 독서 모임' 연다〉, 《ZDnet Korea》, 2019.

11. 25.

- 손가영, 〈중앙일보 언니들의 팟캐스트, 2030과 통했다〉, 《미디어오늘》, 2019. 5. 31.
- 신성헌, 〈[미디어 혁신가] 신문처럼 빨리 책처럼 깊이…'북저널리즘'〉, 《조선비즈》, 2017. 8. 9.
- 어반플레이, 《도시생활혁명(아는도시 2)》, 어반플레이, 2020.
- 유승아, 〈[Opinion] 세상에 관심을 기울이는 가장 쉬운 방법 [문화 전반]〉, 《아트인사이트》, 2019. 9. 29.
- 이기범, 〈리디, 3세대 전자책 '리디페이퍼' 공개…"독서 경험에 집중"〉, 《블로터》, 2019. 12. 5.
- 이기범, 〈온라인 스터디 중개 플랫폼 '스터디파이', 12억원 투자 유치〉, 《블로터》, 2018. 10. 22.
- 이민하, 〈"밀레니얼 세대 '新여성' 모임 만들었죠"〉, 《머니투데이》, 2020. 2. 10.
- 이보림, 〈[Opinion] 책 읽을 시간이 없다면, 이런 건 어때세요? [문화 전반]〉, 《아트인사이트》, 2020. 3. 20.
- 이지원, 〈[스타트업 in] 리디셀렉트vs밀리의 서재, 전자책 무제한으로 읽어 보자!〉, 《데일리팝》, 2020. 3. 17.
- 이지현, 〈[IT열쇳말] 유다시티〉, 《블로터》, 2017. 4. 13.
- 이지현, 〈[IT열쇳말] 코세라〉, 《블로터》, 2017. 3. 16.
- 이지현, 〈[IT열쇳말] MOOC〉, 《블로터》, 2015. 8. 27.
- 이지현, 〈"유데미는 직장인을 위한 온라인 실무 대학"〉, 《블로터》, 2016. 5. 13.
- 이지현, 〈코세라, 기업용 교육 플랫폼 공개〉, 《블로터》, 2016. 9. 1.
- 이진영, 〈[주목! 이 사람] 독서와 관계를 팝니다…트레바리 윤수영 대표〉, 《뉴시스》, 2019. 12. 30.
- 이현주, 〈"일과 성장 고민에 지갑 연다" 지식 콘텐츠 유료화 성공한 퍼블리〉, 《한경Business》, 2019. 4. 30.
- 이현주, 〈"밀레니얼 세대를 움직이려면 '왜'에 대한 답을 줘야 합니다"〉, 《한경Business》, 2020. 2. 11.
- 임지영, 〈북저널리즘을 아시나요?〉, 《시사IN》, 2019. 4. 15.
- 장연화, 〈인터넷 수업 충실히 받으면 학점 인정〉, 《LA중앙일보》, 2020. 3. 16.

· 조수영, 〈"밀레니얼 여성 위한 롤모델 함께 만들어요"〉, 《한국경제》, 2020. 2. 24.

· 주승호, 〈"좋은 교육이란 끝까지 하게 만드는 것"〉, 《Venture Square》, 2019. 3. 12.

· 최영재, 〈박소령 퍼블리 대표 | '일 잘하는 선배' 생생경험을 들려줄게~〉, 《매경이코노미》, 2019. 6. 17.

· 최지혜, 〈2030 여성들, 커뮤니티-네트워킹에 빠지다〉, 《여성신문》, 2020. 3. 8.

· 황은순, 〈10번 사표 쓴 '프로 퇴사러'의 도발〉, 《주간조선》, 2019. 2. 25.

· Baker, Annie., 'Udemy: $50 Million Funding And $2 Billion Valuation', *Pulse 2.0*, 2020. 2. 21

· Ha, Anthony., "With a renewed focus on creative skills, online learning company Skillshare raises $66M", *Tech Crunch*, 2020. 8. 10.

· Mascarenhas, Natasha., "MasterClass just raised $100 million for celebrity-fueled content", *Tech Crunch*, 2020. 5. 20.

· Peckham, Eric., 'MasterClass is mastering scale as a media business', *Tech Crunch*, 2018. 9. 12.

· Rudin, David., 'The idea that successful people can teach their secrets isn't new. Now MasterClass is selling it for $180', *Vox*, 2019. 1. 16.

· Wan, Tony., "MasterClass Raises $100M to Let You Learn From Celebrities. Results Not Guaranteed.", *EdSurge*, 2020. 5. 21.